You're so French !

Cultivez votre style...

D1511279

À Alice, Nils et Romane.

Photographies
Frédérique Veysset
et sa complice pour les retouches, Catherine Delahaye

Conception graphique et mise en page
Lucile Jouret

Illustrations
Clément Dezelus

© 2012 Éditions de La Martinière, une marque
de La Martinière Groupe, Paris
ISBN 978-2-7324-5136-7

You're so French !

Cultivez votre style...

Frédérique Veysset
Isabelle Thomas

Sous la direction de Caroline Levesque

Éditions
de La Martinière

SOMMAIRE

CLAIRE VIOT DI MEO, GALERISTE.

INTRODUCTION

Le french style C'EST QUOI ?

Vous avez vos papiers ?

On nous envie ce « je-ne-sais-quoi » si caractéristique du style français, ce côté « chic sans efforts », pas apprêté : les cheveux emmêlés de Vanessa Paradis, le jean élimé de Charlotte Gainsbourg, les chemises masculines et les ballerines d'Inès de la Fressange, la dégaine de Clémence Poésy… La femme française est plus sobre dans ses choix vestimentaires que la flamboyante Italienne ou que l'excentrique Anglaise. On est dans un pays où l'élégance féminine ne rime pas avec ce qui est ostentatoire.

C'est que la grande tradition bourgeoise française a la vie dure. Depuis le XIXe siècle, la bourgeoisie a imposé ses codes, copiés sur les restes d'une aristocratie exsangue et ruinée. Elle s'indigne contre les parvenus, les nouveaux riches, ceux qui se sont élevés à une position sociale supérieure sans en avoir acquis les manières, la culture. Aujourd'hui, elle les affuble du terme « bling-bling ». Mais la critique est la même : on n'étale pas son argent, c'est ringard et mal élevé. Les égéries reconnues pour leur style continuent d'ailleurs à véhiculer une allure assez bourgeoise : Chiara Mastroianni, Audrey Tautou, Valérie Lemercier, Françoise Hardy, Isabel Marant… Le moins que l'on puisse dire est qu'elles ne se font pas remarquer par leur extravagance. On est loin de Dita Von Teese, Katy Perry, Courtney Love ou Donatella Versace ! Même si elles ont pu passer des heures à se préparer, cela ne se voit pas. La Française n'est pas surfaite, sa silhouette est *so fresh* comme disent les Américaines. La

> " *Les Américaines sont toujours tirées à quatre épingles dès le matin : brushing nickel, ongles vernis, talons… Comme si elles devaient fouler le tapis rouge ou aller à un cocktail. Les Françaises se prennent moins la tête.* "

Emmanuelle Seigner,
comédienne, chanteuse

Française n'a peur de rien, même pas de sortir sans brushing, les ongles nus, sans make-up avec son bébé coincé sous le bras. Malgré ce laisser-aller apparent, elle reste élégante. Ce côté sauvage, qui a d'ailleurs fait la gloire de Bardot, n'est toujours pas démodé : « Souvent copiée, jamais égalée. » La Française est aussi peut-être plus indulgente avec les outrages du temps et les conséquences de la gastronomie – ah ! le plaisir d'un bon gratin accompagné d'un bourgogne ! Et si tout simplement, la Française était une femme pleine de bon sens, aussi bien en matière de cuisine que de style, dont le maître mot serait « point trop n'en faut et n'abusons pas des bonnes choses » !

> *Les étrangers disent que la Française est beige et grise. Ce serait oublier les détails. Et les nuances dans le détail ! Les Françaises ont une simplicité dans l'allure, qu'elles relèvent par un sac bien choisi et la parfaite paire de chaussures. Les Américaines sont plus suiveuses. Les Italiennes plus sophistiquées. Pour moi, l'élégance parisienne, c'est Kate Moss dans la pub Saint Laurent, le chignon un peu défait, une femme chic, sans être apprêtée. C'est la façon dont je travaille : j'aime que les cheveux bougent. La matière ne doit pas être parfaite afin de donner une émotion.*

Sylvain Le Hen,
coiffeur de studio et créateur d'Hair Design Access

MICHELLE BOOR,
créatrice de Vouelle.

Inter*view*

MAXIME SIMOENS,
créateur français de 28 ans.

© Photo Jean-Baptiste Mondino

Pour vous, que veut dire le style français ?

C'est l'élégance déstructurée. Une femme déesse pas ostentatoire. La mise en valeur du corps est subtile, on est dans le souci de montrer une image chic et intemporelle. Mélanie Laurent, notre girl *next-door*, le représente bien : elle a une élégance sauvage, jamais dans l'excessif. Comme l'était Coco Chanel, libérée des codes, nonchalante et élégante.

Finalement, malgré l'uniformisation des styles, la *french touch* résiste toujours ?

Les tissus nobles, les broderies, les matières précieuses – qui ne tombent jamais dans le falbala – ne peuvent pas mourir et ne sauraient être détrônés par une autre capitale de la mode. De même, le savoir-faire et la qualité des découpes ne sont pas copiables par la *fast-fashion*. L'élégance, c'est aussi un savoir-vivre, une manière de réagir, de se comporter, de bouger… Je l'associe également à l'endroit dans lequel on vit, à notre imaginaire, à nos objets du quotidien. Les femmes ont cette faculté de sentir cette vision large de l'élégance.

Suivre la mode, c'est dépassé ?

La mode ! Je déteste ce terme. Pour moi, c'est déjà être démodé. Qu'est-ce qui nous oblige à nous adapter à l'époque présente alors que l'on peut choisir d'être avant-gardiste ou rétro-vintage ? Les diktats des longueurs, des formes, des coupes, c'est très années 1960. Heureusement, aujourd'hui, la mixité permet davantage d'ouvertures. C'est une question de générosité et de tempérament. Je préfère penser que le vêtement est un moyen de se créer une identité. Il nous permet de nous ouvrir aux autres. De véhiculer notre image. Les « monogrammés » de la tête aux pieds montrent ce qu'ils ont dans leur porte-monnaie. Ceux qui préfèrent exprimer de la nonchalance se fabriquent une silhouette négligée. Ceux qui souhaitent véhiculer un message plus agressif choisissent des vêtements forts… C'est de la sociologie pure ! Les vêtements peuvent aussi être un rempart. On peut toujours faire évoluer notre image toute la vie.

Quelle serait « la » pièce essentielle d'une garde-robe ?

On parle de la petite robe noire. C'est vrai, le noir est indémodable, il passe aussi bien l'été que l'hiver. Mais pour moi, même si on évoque souvent la veste Chanel ou Dior, le pantalon Balenciaga, je n'aime pas tellement le côté pièce iconique. C'est à chacun de s'approprier sa pièce maîtresse : un jean avec lequel on a vécu des sensations fortes, une veste qui met vraiment en valeur la silhouette, une robe porte-bonheur…

C'est à chacun de s'approprier sa pièce maîtresse : un jean avec lequel on a vécu des sensations fortes, une veste qui met vraiment en valeur la silhouette, une robe porte-bonheur…

Il n'y aurait donc pas non plus de vêtement à éviter absolument ?

Pour moi, il n'y a aucune pièce rédhibitoire. Même le sarouel et les leggings sont acceptables. Les interdits sont des fausses dictatures. À partir du moment où on réussit à réinterpréter le vêtement et à trouver le moyen de se mettre en valeur, tout est possible. C'est une question de style et de chic : on peut être jolie dans une combinaison Yves Saint Laurent des années 1970 ou ne ressembler à rien. Cela vaut pour tous les âges. À 60 ans, on peut ne plus avoir envie de porter une mini. Mais si on est fière de ses atouts, pourquoi ne le ferait-on pas ? Si on pense que l'on a des genoux pas jolis ou des bras mous, on s'arrange pour les cacher. Chaque femme a ses complexes, ses caractéristiques et ses envies. Je suis pour la liberté d'expression et pour moi, cela rejoint la liberté de s'habiller. La seule limite : la vulgarité.

Autrefois – il n'y a pas si longtemps –, on suivait les codes établis par la société et les convenances. L'ouvrier s'habillait en ouvrier, la bourgeoise en bourgeoise, le collégien en collégien… Il fallait se couper les cheveux et délaisser les couleurs vives à 40 ans, ne pas porter de résilles si on était une « femme bien », éviter les jeans au bureau… De nos jours, beaucoup d'interdits vestimentaires ont volé en éclats. Tant mieux. Sauf que, sans ce cadre rigide mais rassurant, certaines ont perdu le mode d'emploi de leur penderie. Aujourd'hui, on choisit une tribu et on adhère à ses conventions vestimentaires. On peut aussi trouver son style selon sa personnalité, ses goûts, son mode de vie.

Trouvez
Style votre

À propos, le style, est-ce si important ? Oui, parce que les vêtements expriment la personne que nous sommes. C'est un langage inconscient et muet qu'on adresse à l'autre. Le non-look nous rend invisible alors que l'excentricité forcée fait peur ou amuse. Ce n'est pas un hasard si le choix de la tenue du premier rendez-vous rend si fébrile. Si on se sent mal dans la mauvaise robe, la soirée peut être gâchée. D'où l'importance de ne pas se déguiser, ni de vouloir ressembler à telle amie, actrice, chanteuse ou business woman qu'on admire. Pas besoin d'en faire des tonnes pour trouver facilement une harmonie entre ses vêtements et sa personnalité. L'exercice n'est pas toujours simple : certaines femmes trouvent leur style très jeune, d'autres jamais. Mais bonne nouvelle : ça s'apprend. Ce n'est pas une question d'âge, ni d'argent. Plutôt un état d'esprit et une envie.

LE STYLE D'INÈS-OLYMPE MERCADAL,
CRÉATRICE DE MERCADAL VINTAGE :
ACTUALISER SES PIÈCES VINTAGE COMME
SON BLOUSON EN SKAÏ ET SA ROBE CHINÉS
AUX PUCES PAR UNE CEINTURE CRÉATEUR
ET SES ESCARPINS ATELIER MERCADAL.

Range
TA CHAMBRE

On a tendance à choisir les premiers vêtements situés en haut de la pile. C'est facile, on ne perd pas de temps, on ne prend pas de risque, on s'habille de façon automatique. Quel dommage pour tous ces trésors qui dorment depuis des années et sur lesquels vous avez pourtant misé au moment de l'achat ! Quel dommage aussi pour vous qui pourriez booster votre allure ! Chaussez vos loupes d'archéologue et commencez les fouilles… Deux fois par an, aux gros changements de saison, faites le tri. C'est fastidieux mais ça vaut le coup. D'abord, oubliez la fameuse « règle des deux ans » qui nous conseille d'éliminer toutes les pièces qu'on n'aurait pas portées depuis deux saisons. Cette loi archaïque ne vaut pas pour un vestiaire complet.

Oubliez !

• **Les vêtements qui ne sont plus à votre taille :** même si la mode s'en va et revient, les proportions changent. Zappez les tee-shirts étriqués taille 12 ans (on les porte plus amples), les mauvaises longueurs (argh ! les pantalons droits trop courts), les vestes aux emmanchures trop larges (comme les blousons des années 1990), le jean trop taille basse qui vous boudine ou dans lequel vous flottez…

• **Les vêtements élimés :** à moins qu'ils soient joliment patinés par le temps (comme un beau cuir), ils vous donnent l'air négligé. Ce n'est pas bon pour l'image de soi. Oubliez les manteaux et les vestes fatigués au niveau du col, du coude et de l'endroit où le sac frotte ; les pulls boulochés ; les tee-shirts et chemises qui furent blancs ; les collants avec des fils tirés ; les chaussures aux talons usés et au cuir qui a mal vieilli…

• **Les vêtements cheap sans personnalité :** les petites robes bas de gamme à peine mignonnes ; le manteau mal coupé, acheté à la va-vite un jour de grand froid ; la robe « sexy » portée une fois pour un rendez-vous amoureux qui a mal tourné ; le tailleur vieillot de vos entretiens d'embauche de la fin du siècle dernier ; le blouson en cuir acheté dans une friperie, odeur de grenier comprise ; le foulard esprit Hermès – esprit, seulement ; la ceinture en skaï élimée ; les chaussures pointues de chef de produit des nineties ; les bijoux ethnomoches, made in China, achetés en duty-free au retour d'un voyage…

Gardez !

• **Les basiques de bonne qualité :** tee-shirt en lin et coton, pull en cachemire non bouloché, chemises blanches, boots, escarpins à la cambrure parfaite, ballerines… Bref, vos fameux meilleurs amis pour la vie.

• **Les pièces fortes de créateurs connus ou plus confidentiels :** une robe Jean-Paul Gaultier, un blouson Ann Demeulemeester, une veste Vivienne Westwood, une chemise Alexis Mabille, un pull Comme des Garçons, des bottes Weston, des sandales extravagantes Pierre Hardy, une ceinture Alaïa, un foulard Epice… on en passe et des meilleurs. Même si vous les portez peu, vous les ressortirez toujours avec plaisir. Ces vêtements et ces accessoires se démodent rarement et trouveront toujours à se combiner avec des basiques ou des nouveaux venus dans votre penderie.

Organisez !

Rangez par saisons et par familles : vous y verrez plus clair et vous trouverez plus vite de nouvelles associations. Au lieu de combiner toujours les mêmes vêtements, jouez à la rédactrice de mode qui prépare des silhouettes : il s'agit pour vous de réaliser le plus de looks possibles avec une veste, une jupe, une robe, un chemisier, des chaussures… Osez mélanger les genres, les couleurs, les formes et faites des tentatives, essayez. Vous découvrirez vite la richesse de votre garde-robe. Prenez des photos des tenues dans lesquelles vous vous sentez vraiment bien : plutôt utile les matins de flemme vestimentaire !

LA SIGNATURE D'ALIX PETIT,
CRÉATRICE D'HEIMSTONE : SES BOTTES
DE MOTO ET SON BANDEAU DE PLUMES.

Affirmez
VOTRE STYLE !

É tudiez les looks des magazines et des blogs qui correspondent à votre sensibilité ; observez les styles qui vous plaisent dans des films et des séries en notant ce qui vous attire. Le but n'est pas de copier-coller une star sur *red-carpet*, mais d'enrichir et d'apprivoiser votre regard.

Passez du temps à vous regarder de la façon la plus neutre possible. Pas sous l'angle du miroir que vous connaissez par cœur – c'est-à-dire en focalisant sur vos points faibles ou, au contraire, en les négligeant. Vous pouvez aussi vous étudier sur une « photo volée » qui vous correspond et que vous aimez. Soyez indulgente et douce avec vous-même. Avez-vous remarqué votre taille de guêpe ? Vos attaches fines ? Votre nuque gracieuse ? C'est une bonne façon de casser les préjugés que vous portez sur votre corps. Et si vous tentiez une robe cintrée au lieu des blouses que vous portez depuis quinze ans ? Et si vous osiez le long plutôt que de penser que ça va vous vieillir ? Et si vous arrêtiez de croire que le plat vous tasse ? Avant de bannir telle forme ou couleur, essayez !

Certaines femmes – et certains hommes – ont osé aller vers ce qui « ne se faisait pas » à leur époque : Audrey Hepburn n'a pas craint d'utiliser sa différence (une silhouette androgyne) et d'aller contre les critères de l'époque – gros seins, fesses généreuses – pour affirmer son style. On a dit d'elle : « Elle a démodé les gros seins. » Quant à Brigitte Bardot, elle a popularisé la ballerine et le vichy. Comme elles, d'autres personnalités ont donné leur nom à un style. On parle des styles Jackie Kennedy, Kate Moss, Sofia Coppola, Chloé Sevigny, Dita Von Teese… De la même manière, on évoque la « signature » mode d'une personne : le pull marin de Jean-Paul Gaultier, le col montant de Karl Lagerfeld, le rouge à lèvres de Paloma Picasso, la crinière flamboyante de Sonia Rykiel, le bandeau à plumes d'Alix Petit, créatrice de la marque Heimstone… À chacun de trouver sa signature s'il souhaite se démarquer.

Les seuls bijoux
d'Annina
Roescheisen, agent
dans l'art et
égérie :
les tatouages
qu'elle collectionne
depuis l'âge
de 13 ans.

Avec sa beauté raphaélite, elle cultive sa féminité avec des robes près du corps et des talons vertigineux

Joëlle Dupag, vendeuse, ne sort jamais sans ses dizaines de bracelets ethniques-chic.

apparence peut bouleverser. On se met à vous regarder autrement et le regard que vous portez sur vous évolue. Surtout si vous avez pris l'habitude de vous cacher dans du noir ou des formes qui camouflaient les vôtres. Si vous craignez un changement trop radical, procédez par touches : à partir d'une base classique, ajoutez de la couleur et de la fantaisie avec les accessoires (foulard, chaussures, sac). Vous y prendrez goût et aurez envie d'aller plus loin. Prenez le temps de faire les boutiques. Si vous êtes timide, faites-vous accompagner par une amie, pas forcément la plus « fashion » de la bande mais dont vous appréciez le goût et sa distance vis-à-vis de la mode. Il ne s'agit pas de coller à la tendance du moment mais, encore une fois, de trouver le style qui vous ressemble. Essayez de sortir de vos formes et couleurs. Vous ne risquez rien. Juste de vous laisser agréablement surprendre. Tentez des styles différents : pin-up, hippie chic, business girl, lord anglais… Le but n'est pas de vous déguiser mais de vous prouver que vous pouvez oser. Dédramatisez l'exercice. Amusez-vous !

Ne vous transformez surtout pas radicalement. N'adoptez pas un style dans lequel vous ne vous reconnaissez pas sous prétexte que la vendeuse vous a affirmé que vous êtes « tellement sexy ». Vous devez apprendre à vous sentir « juste » dans vos nouveaux vêtements et à vous plaire. Or, travailler son

66 *Une boutique, c'est le meilleur cabinet de psy qui soit !*
Je prends du temps à faire des essayages mais aussi
à écouter les soucis de mes clientes. On expose sa vie,
on confie son corps et ses états d'âme.
Et il arrive que le vêtement aide à soigner tout ça. 99

Sandrine Valter,
créatrice de la marque Aeschne

ALEXANDRA SENES
MÉLANGE SES
SOUVENIRS DE VOYAGE
AVEC DES PIÈCES
CRÉATEURS (CÉLINE,
MARGIELA...).

Inter *view*

ALEXANDRA SENES,
insaisissable ; une longueur d'avance.
Reine du décloisonnement dans la presse
ou ailleurs.

l'écrivain à la mode…
Flippant ! Les trucs du
moment – la fausse lunette
de vue, les cheveux bleus,
le sac à franges Balenciaga
– ne sont pas pour moi.
Où est la place pour la
curiosité ? Les gens ne
savent plus s'approprier
les tendances, ce sont les
dégâts de la mode.

Contrairement à
l'Espagnole, à l'Italienne,
à la Suédoise, elle sait
jouer avec sa garde-robe.
Elle a un twist bien à elle.
Classique, bobo ou
gothique, elle s'approprie
une dégaine. Sans oublier
son côté souillon : cheveux
mal attachés, ongles pas
faits, peu maquillée…
Après avoir croisé Vanessa
Paradis, une Américaine
m'a dit : « Comment cette
fille sale peut-elle être une
star ? » Mais en France,
grâce à la mode, les filles
rondes savent être belles.
Elles sont éduquées, elles
savent juger des volumes
et des proportions.

> « Aujourd'hui, pour moderniser
> une marque, on choisit les mêmes
> directeurs artistiques,
> le rocker du moment, l'écrivain
> à la mode… Flippant ! »

Quelle réflexion portez-vous sur la mode ?
Une marque comme The
Kooples est représentative
de ce qui se passe
aujourd'hui. Elle est née
de rien en cinq minutes en
prenant tout aux magazines
et en surfant sur les codes
actuels de la mode : les
jeunes, les vieux, le label
de musique, la bougie, la
muse… C'est un fléau dans
lequel il ne faut pas
tomber ! Aujourd'hui, pour
moderniser une marque,
on choisit les mêmes
directeurs artistiques,
le rocker du moment,

La Française réussit-elle à se démarquer ?
Oui parce qu'elle a un style
– elle n'achète pas un style.
Elle réussit à styliser les
marques comme pourrait
le faire l'Anglaise dans un
genre différent. Elle
customise un Kelly, elle
porte une chemise Charvet
avec une jupe fluo…

Pour vous, qui est « la » Française ?
Le mélange de
l'élégantissime Edmonde
Charles-Roux pour
l'intelligence, Inès de
la Fressange pour la ride,
Anna Mouglalis pour
la voix, Camille pour la
cradouille et Emmanuelle
Seigner pour l'insolence.

Farida, l'égérie d'Azzedine Alaïa, est pour moi la référence de l'élégance de demain : le métissage et l'élégance dans tous les sens du terme, y compris dans l'attention portée aux autres. Les muses sont élégantes, pas les *it-girls*. Ce sont des filles – comme Olympia Le Tan – qui inspirent les créateurs et les magazines.

> 66 *S'il s'agit de ma garde-robe perso, je préfère fabriquer mon propre style. Le sac ou la pièce que tout le monde veut, je ne le vois pas, il ne m'attire pas.* 99

Quelle place prend la mode dans votre vie ?

J'ai créé un magazine – Jalouse – qui avait six mois d'avance sur les tendances et je suis chaque fashion week depuis des années. Je connais donc bien la mode. Mais s'il s'agit de ma garde-robe perso, je préfère fabriquer mon propre style. Le sac ou la pièce que tout le monde veut, je ne le vois pas, il ne m'attire pas. Quand je m'habille, je pars des chaussures et j'improvise selon mon humeur. Je ne porte jamais de jean. Je m'habille en couleur pour me différencier des filles de la mode ! Je passe mon temps à jouer avec le criard et le classique, les asymétries, le bancal, une manche qui manque, trois rayures dans des sens différents, les couleurs qui ne vont pas ensemble, les talons hauts avec des chaussettes, les vêtements d'été en hiver, les collants fantaisie… J'aime les mauvais clashs et je revendique ces fautes de goût qui font mon style. On me dit souvent : « Il n'y a que toi pour porter ça » ou « Tu es la blonde africaine » ! À 8 ans, j'ai quitté le Sénégal où je suis née pour New York, ce clash m'habite toujours !

Quelles sont les pièces que vous emmenez partout ?

Une chemise d'homme, une Céline ou la Dior à col inversé, mon blouson en cuir My Way de Stouls que je porte aussi bien avec une robe du soir qu'un maillot de bain, ma bague tête de mort de loup Codognato qui a cent ans et un vieux manteau en renard Margiela sans manches, déstructuré – je le porte aussi bien avec des branchés que des gens pas mode du tout. J'ai la chance de n'acheter que des pièces de qualité. Elles ne se démodent pas, je les fais repriser et elles durent des années de plus. Si je ne vais pas chez H&M, c'est aussi parce que je ne peux pas y trouver la bonne couleur : il n'y a jamais le bon rouge, le bon jaune… Un bon jaune Marc Jacobs restera toujours un bon jaune. Un seul petit regret : je n'ai pas l'œil pour acheter vintage. Mais j'ai des amies parfaites pour trouver pile ce qui me va dans les friperies.

Il y a deux écoles : les femmes pour qui les mots slim, flare, 7/8, plate-forme shoes, derbys, head-band, tregging, jupe crayon, stiletto, pantalon carotte and co appartiennent à une langue inconnue et… les bilingues. Les premières n'aiment pas la mode ou pensent ne pas l'aimer :

– ce n'est pas pour moi, je n'ai pas le corps ;

– c'est cher ;

– c'est superficiel ;

– je n'y comprends rien.

Les secondes maîtrisent les codes. Plus ou moins. Elles s'en inspirent pour faire leur mode ou un copier-coller de ce que la dernière tendance leur impose, et parfois sans états d'âme en dépit de ce qui leur va.

Faut-il suivre la Mode ?

Ou faut-il que ce soit elle qui nous suive ?

Entre ces deux attitudes, il y a un juste équilibre, difficile à trouver pour beaucoup de femmes : généralement, les Françaises sont assez douées à ce jeu-là. Elles savent intégrer les nouveautés à leur garde-robe pour créer leur style personnel, elles ont le chic pour qu'on les remarque avant leur vêtement. Tout simplement parce que le vêtement, c'est elles. Même si elles aiment suivre la mode, elles ont compris que ce n'est pas tabou de mélanger du « tombé du podium » avec d'anciennes collections toujours actuelles ou intemporelles. Elles sont plus attentives à respecter leur personnalité qu'à appliquer la tendance. La Française qui a du style est tout sauf un porte-marque !

Les (fausses)
BONNES EXCUSES

« Ce n'est pas pour moi, je n'ai pas le corps »

Avec la profusion de l'offre, et même si les créateurs préfèrent les « crevettes » aux pulpeuses, chacune peut trouver chaussure à son pied et robe à son gabarit. Y compris les morphologies « délicates » qui peinent à dénicher leur bonheur en boutique. Il faut parfois prendre du temps pour trouver les bonnes pièces et savoir astucieusement miser sur les accessoires. Puis jouer avec les proportions pour rééquilibrer sa silhouette.

Apprenez à vous voir avec des yeux neufs et à repérer vos atouts : il n'y a pas que les jambes et la poitrine ! Pensez aussi à la nuque, au cou, à la taille, à la cambrure, aux attaches… Mettez-les en avant et ne vous focalisez pas sur vos défauts, ils font aussi partie de votre personnalité. L'idéal serait de s'accepter « en bloc » – c'est précisément ce que font les personnes qui nous aiment. Qui a prétendu que des épaules larges interdisent le port de la robe bustier ou que des mollets un peu épais ne sont pas compatibles avec une jupe ? Bref, soyez honnête avec vous-même. Aujourd'hui, le choix est si vaste que chaque femme peut s'habiller en fonction de sa personnalité et avoir du style sans forcément suivre la mode. Tant mieux ! Il n'y a plus une mode mais « des modes ». Même si les magazines s'amusent à nous imposer des diktats, nous sommes plus libres qu'il y a une vingtaine d'années. Avez-vous remarqué comme les femmes bien dans leur corps et sûres de leurs choix vestimentaires rayonnent ?

> 66 *Je déteste la panoplie je-suis-un-copier-coller-des-dernières-tendances. L'allure ne passe pas forcément par des vêtements. Pour moi, une personne qui a du style, c'est d'abord quelqu'un de gracieux et d'épanoui. Qui se connaît bien, donc sait ce qui lui va et en joue.* 99

Pascale Monvoisin,
créatrice de bijoux

« La mode, c'est cher »

Aujourd'hui, le « c'est cher » n'est plus valable : on peut se faire une belle silhouette pour une centaine d'euros en mixant ses beaux basiques, des occasions, une petite pièce d'une grande enseigne ou de la grande distribution et des accessoires bien choisis… Ce n'est pas forcément une bonne idée d'accumuler quatre vestes « mode » à 35 euros, ça vaut parfois la peine de casser sa tirelire pour une pièce qu'on gardera des années. Pour autant, ce n'est pas parce qu'on a les moyens que l'on sait s'habiller. Il faut avoir de la curiosité et un peu d'audace. Malheureusement, l'élégance est innée et n'a rien à voir avec l'argent. Mais bonne nouvelle, on peut apprendre à avoir du style et à éviter certains faux pas.

« La mode, c'est superficiel »

Ah bon ? Vous trouvez que l'image que vous renvoyez aux autres c'est superficiel ? Dommage pour vous, car ceux qui vous croisent vous jaugent d'après votre apparence. « La maison que tu habites appartient autant à ceux qui la regardent qu'à toi-même. » Ce vieux proverbe chinois veut tout dire…

« Je n'y comprends rien »

Ça tombe bien, on est là pour vous expliquer !

Question subsidiaire : doit-on céder à la tentation du « it-truc » ?

Aujourd'hui, plus que les tendances, on est tenté de retenir « la » ou « les » pièces incontournables de la saison (le cabas à paillettes de Vanessa Bruno, le tee-shirt déchiré de Balmain, les cachemires à messages de Zadig & Voltaire, les baskets compensées d'Isabel Marant, le sac Charlotte de Darel…), les fameux « it » ! Alors on craque ? Sûrement pas, si c'est uniquement pour vous rassurer ou faire partie du club des it-girls. Pourquoi pas, si l'objet de tous les désirs du moment correspond à votre envie et à ce que vous êtes. Après tout, le seul risque c'est d'en voir beaucoup à un moment donné. On lui préfère la singularité. Dans une époque de luxe de masse, le vrai luxe c'est la pièce unique, la petite série.

MICHELLE BOOR AIME LES INTEMPORELS : SA ROBE NOIRE (P. 25) ET SON PLARE AESCHNE RÉHAUSSÉ PAR SES BALLERINES PAILLETÉES VOUELLE.

« Je suis persuadée que beaucoup de femmes souffrent de ne pas être blonde-aux-yeux-bleus-à-gros-seins. Il y a plein d'hommes qui ont ce cliché dans la tête et qui le font bien savoir ! Du coup, elles complexent de ne pas être le stéréotype de la blombasse et se camouflent. Les femmes ont du mal à savoir ce qui va plaire à leur homme et surtout à comprendre ce qui leur va. Elles achètent la robe de leur copine qui a les mêmes proportions, sans se demander si ça correspond à leur style. À 90 %, mes clientes se dirigent vers des pièces qui ne leur vont pas. Les rondes vont direct vers des robes de petite fille à fines bretelles et les femmes de 40 ans se voient en lolitas. »

Valentine Gauthier,
créatrice

« Je ne crois pas aux tendances. Pour moi, l'élégance, c'est être en accord avec soi-même. Je suis plus sensible à une Charlotte Gainsbourg en jean-baskets, qu'en Balenciaga. Moi, avec mes jeans et mes tee-shirts, je ne ressemble pas à grand-chose ! Mais si j'ai un rendez-vous, hop, j'enfile mes chaussures et ça monte le niveau ! Ça change direct la silhouette. »

Annabel Winship,
créatrice de chaussures

« Oui, on peut s'approprier son corps par le vêtement. On a tendance à habiller la partie de soi que nous aimons le plus et à négliger le reste. Tentez l'inverse : concentrez vos efforts sur les parties désaimées et habillez-les joliment. Appréciez tout ce que votre corps vous permet. Sentez-le vivre de l'intérieur au lieu de le regarder de l'extérieur. Savourez-le au lieu de le surveiller. N'oubliez pas que la sensualité vient de l'intérieur. »

Patricia Delahaie,
sociologue

« Pour moi, le style c'est avoir sa propre identité, ne pas suivre la mode. C'est avoir de la classe, avec une certaine allure, classique ou pas. C'est une personne que tu remarques dans la rue, car elle ne suit pas la mode, elle a sa propre personnalité. Elle se distingue de la masse. Je crée pour des femmes ayant un style à elles bien défini. Loin des diktats des tendances. Pour moi, la femme qui aime mes bijoux est une vraie indépendante. Elle travaille peut-être dans l'industrie de la mode, peut-être dans un autre domaine créatif, ou elle est tout simplement

amoureuse de la créativité. Son âge ne me concerne vraiment pas, je suis plus intéressée par sa personnalité. C'est une femme cosmopolite, qui a l'esprit ouvert, énigmatique et aventureuse. »

Adeline Cacheux,
créatrice de bijoux

ISABELLE THOMAS ET SA TUNIQUE ROMÉO PIRES.

CATHERINE LUPIS-THOMAS,
CRÉATRICE DE LA BOUTIQUE
1962, A RACCOURCI
ET BRODÉ SON JEAN REPLAY
QU'ELLE MIXE À SA VIEILLE
CHEMISE PRADA.

MARIAGE DE GRANDES ENSEIGNES
(BOOTS TOPSHOP, PULL KOOKAÏ, VESTE
THE KOOPLES) ET DE GRIFFES (JUPE
BURBERRY, CEINTURE GUCCI, POCHETTE
FENDI). MARIE HUGO, RÉDACTRICE
MODE AU MAGAZINE GLAMOUR.

Un costume -Swildens-
sinon rien avec des
chaussures d'homme
Zadig & Voltaire.

« *La mode est devenue
un business plus que l'amour
du métier. Trop d'informations
et toujours les mêmes produits
montrés et publiés partout.
Trop de marketing qui joue
sur une pseudo-image haut
de gamme/luxe qui ne l'est pas
et manipule le consommateur.
Je vous montre une pub "luxe",
du coup, ça va justifier le prix
de mon pull, alors qu'au final
la qualité n'y est pas. Je crois
au retour de la juste et vraie
consommation et au retour des
vraies valeurs dont la disparition
a tué nos industries et notre
artisanat en France notamment.
La montée et la multiplication
des jeunes créateurs se présentent
comme un espoir. Entre les stars
qui sont des panneaux publicitaires
et les magazines qui ne parlent
que de tendances, comment garder
son propre style aujourd'hui ?
Je pense que pour beaucoup de
femmes le shopping est une vraie
souffrance ! C'est quand même
un comble, quand on voit combien
elles peuvent s'arracher les
cheveux, mais en même temps,
l'allure compte pour beaucoup
dans nos relations. L'habit a
toujours eu une place importante,
ce n'est pas nouveau.* »

Amélie Pichard,
créatrice de chaussures

Propos extraits du blog Mode Personnel(le).

Inter view

CHRISTOPHE LEMAIRE,
directeur artistique du prêt-à-porter Femme
d'Hermès, fondateur et styliste de la marque
Christophe Lemaire.

© Photo DR

Quelle est votre définition du style français ?

Nous gardons cette recherche d'équilibre et d'harmonie qui nous vient de notre culture française. Nous ne sommes pas dans le baroque, l'excès ou le fantastique de la culture britannique. Mais nous n'avons pas non plus le vestiaire raffiné de l'Italien, nous y mettons plus d'esprit, nous intellectualisons davantage.

Les Françaises réussissent-elles à se dégager de l'uniformisation des tendances ?

Avec la culture de masse, les femmes s'habillent moins bien. Pourtant, H&M et Zara permettent à celles qui ont un petit pouvoir d'achat d'accéder à la mode. Parfois avec succès ! Après, à chacun de se débrouiller avec ce qu'on nous propose. Les Françaises ont gardé le sens de la sobriété et du détail. Même si cela se perd, elles savent encore se rendre désirables sans être dans l'excès et garder le sens de l'humour et une certaine subtilité.

Le vêtement est-il un moyen de s'affirmer ?

C'est même la première manière de s'exprimer. S'habiller n'est pas un acte futile mais au contraire très profond. Je milite pour un style qui exprime l'expression de soi, qui ne soit ni un déguisement ni une carapace. Le vêtement, c'est être soi-même, se rêver soi-même, être conscient de qui on est. Il permet de se sublimer, sans oublier l'aspect ludique. Je suis révolté lorsque je vois des articles ou des films style *Sex and the City* qui renvoient les femmes dans un rôle d'idiote, excitées par le dernier sac à la mode ou les soldes. Même si elles sont un peu complices de cet état de fait, c'est pire qu'un retour en arrière. On devrait plutôt comprendre leur vulnérabilité, les aider à se sentir armées, séduisantes...

Comment trouver le style qui nous ressemble ?

On doit d'abord savoir qui l'on est. Cette recherche passe par une forme d'introspection, une honnêteté vis-à-vis de soi-même. Si on cherche le déguisement, on fuit. C'est un chemin. Pas une question d'argent, ni d'informations. Il faut se regarder, comprendre son corps, les parties à mettre en valeur, trouver ce qui marche avec sa carnation, sa couleur de cheveux. Qui veut-on être ? Que veut-on exprimer ? Même si les apparences peuvent être trompeuses, on juge l'autre plus ou moins consciemment à travers sa tenue vestimentaire, sa façon de bouger, de parler…

Pour quelles pièces faut-il investir ?

Aucune recette n'est valable pour tout le monde. Tout dépend de la personne que vous êtes. Il s'agit de trouver son uniforme personnel – je tiens au mot « personnel » –, de construire son vocabulaire. En revanche, je crois beaucoup à la qualité. Jean-Louis Dumas, le président d'Hermès, disait que lorsqu'on achète un bel objet cher, on oublie le prix mais on se souvient de la qualité. Oui à la belle

paire de boots, à l'escarpin de qualité… s'ils nous correspondent !

Pas d'exception pour la fameuse petite robe noire qui irait à tout le monde ?

Déjà, toutes les femmes n'aiment pas se mettre en robe ! Ce n'est pas un passage obligé. Je me méfie des diktats. On peut vivre sans petite robe noire, sans trench et sans ballerines !

À l'inverse, pour vous, il n'y aurait donc pas d'interdits…

Il est interdit d'interdire ! Je suis contre les diktats. On doit pouvoir s'habiller comme on veut, selon la personne que l'on est. Aujourd'hui, dans les pays civilisés, si on le souhaite, on a droit à l'excentricité. C'est formidable ! On a même de la tolérance pour un homme qui voudrait s'habiller en femme. La notion de bon et de mauvais goût est donc très discutable.

La définition du mot « sexy » a-t-elle changé selon vous ?

Les femmes ont envie d'être désirables. Les hommes aussi. Rien de plus normal. Mais ce mot est tellement usé et réducteur que je n'ai plus envie de l'utiliser. La notion de « sexy » est devenue triste, pauvre et synonyme de cheap. Je la compare à ce que la pornographie est à l'érotisme. C'est se faire

❝ *On doit d'abord savoir qui l'on est. Cette recherche passe par une forme d'introspection, une honnêteté vis-à-vis de soi-même.* **❞**

poser des prothèses et tout montrer. On rejoint l'esthétique des prostituées de luxe. Moi qui suis très sensible au charme féminin, je préfère ce que l'on devine, une nuque, des attaches, une couleur de peau, des cheveux, une façon de bouger… pas forcément un corset et du moulant ! On peut être sensuelle et pudique. La pudeur, c'est désirable. D'ailleurs, l'immense majorité des hommes – et des femmes – pensent de cette façon.

Tout ce qu'on fait *croire* aux Femmes

Les clichés ont la peau dure

La panthère, c'est pouffe. Le noir amincit. Le slim, c'est pour les minces. Les sabots, c'est moche. Le velours, ça fait prof. Le marine, c'est mémère. Le plat, c'est pour les grandes. La mini, faut arrêter après 35 ans... Autant de clichés qui nous figent et nous intimident dans la recherche de notre propre style. Or la mode, c'est une histoire intime et personnelle. Pourtant, même si chaque femme veut être unique, elle n'aspire qu'à acquérir ce que les autres portent. C'est rassurant. Les marques, dont certaines font davantage du marketing que de la mode, en sont conscientes et profitent de nos paradoxes. Non, la mode, ce n'est pas porter la même chose que nos cousines du monde entier. On peut développer son propre style même en allant à contre-courant des diktats des tendances et des clichés.

LA CHICISSIME AGNÈS POULLE,
RÉDACTRICE DE MODE.

Les talons,
C'EST SEXY

Oui, à condition de bien les choisir (rien de pire qu'un talon cheap), de les prendre à sa taille et de savoir marcher avec. Argh ! les petits orteillons qui s'agrippent comme des malheureux au bord de la semelle, le pied qui sort de l'escarpin et la démarche de cigogne sur un champ de mines ! Les hauts talons ne sont pas tous chics, loin de là. C'est la ligne d'une chaussure et la démarche qu'elle nous fait qui la rendent sexy, sûrement pas la hauteur du talon. La preuve, on peut être très féminine avec des derbys stylés.

Le push-up,
C'EST IRRÉSISTIBLE

Bien sûr, une poitrine ronde, c'est séduisant (ah ! les seins de Scarlett Johansson !). Mais beaucoup d'hommes et de femmes sont d'accord pour trouver la poitrine frémissante de Vanessa Paradis délicieusement torride. Alors, pourquoi tant de femmes s'obstinent-elles à ne porter que des push-up ? Certes, on a le droit de s'amuser à « gonfler » ses seins. Encore faut-il choisir une lingerie adaptée et à sa taille : rien de plus laid que les coques ou les fleurs en dentelle qui apparaissent sous un débardeur ou un pull moulant. Et gare aux petits bourrelets disgracieux sous le bras !

La panthère,
C'EST VULGAIRE

Oui, si la bête est cheap et portée en total look. Si on la saupoudre dans une tenue sobre, on ne prend pas de risque. Nos pièces panthère préférées : pull V en cachemire, manteau en fausse fourrure chic, trench élégant, foulard en laine ou en soie, mocassins et escarpins racés, pochette…

ANNE-SOPHIE BERBILLE,
COFONDATRICE DE PRESTIGIUM.COM

SA PANTHÈRE EST CHIC DANS
UNE ROBE ROBERTO CAVALLI
ET DES SANDALES JIMMY CHOO.

LES CARREAUX DU
PANTALON GUNHILD
DE NASTASIA FRYDMAN,
ÉTUDIANTE : BEAU COMME
UN CLASSIQUE.

Les paillettes et les strass, ÇA FAIT SAPIN DE NOËL

On préfère les porter de jour. Mais comme pour l'imprimé animalier, on calme la paillette et le strass en les associant à des pièces sages (vous ne présentez pas les résultats du Loto le soir du réveillon). Un cardigan paillettes donnera du peps à un jean, des derbys pailletés insuffleront de la bonne humeur à un pantalon ou à une robe classique, un foulard dynamisera un manteau sage…

BALLERINES VOUELLE.

Les carreaux, ÇA FAIT CLOWN

Variantes : ça fait bûcheron / campagnard / cow-boy / punkette… Ah ! les préjugés que doivent supporter ces pauvres carreaux ! C'est pourtant un indémodable, facile et flatteur. Si, si ! Selon les pièces ou les accessoires avec lesquels on l'associe, cet imprimé caméléon peut faire punk, lord anglais ou MST (Mocassin Serre-Tête)… Le même pantalon écossais n'aura pas la même allure s'il est porté avec des mocassins classiques ou des Doc Martens ! Les carreaux ont aussi le pouvoir de doper une tenue : une chemise « cow-boyette » va moderniser un tailleur-pantalon de working woman, amuser une veste de smoking ou donner du peps à un sweat. Autre avantage : ils se mélangent sans états d'âme à d'autres imprimés : carreaux + liberty, carreaux + pois, petits carreaux + gros carreaux. Trop simple, on vous dit !

Le pantalon carotte, C'EST POUR LES MINCES

Au contraire ! Il floute les hanches et camoufle les fesses sans les aplatir. Choisissez-le taille haute, dans un tissu qui a de la tenue et portez un haut près du corps. Après, c'est une histoire de goût et ce n'est peut-être pas le vôtre, ni celui de votre homme !

Les socquettes, C'EST POUR LES FILLETTES

C'est vrai, le genre chaussettes dans des sandales ou des mocassins ne convient pas à tout le monde. Il ne supporte qu'un style plutôt sophistiqué ou un minimum réfléchi. On adore les jolies chaussettes fines en lurex avec des talons ou les socquettes « funky » de couleurs vives qui viennent féminiser des chaussures d'homme. C'est joyeux et stylé.

Les ballerines, C'EST TOUJOURS CHIC

Ça dépend ! Elles peuvent vite faire mamie. Fuyez les plastifiées (malaise assuré quand on les enlève !), les semelles épaisses en caoutchouc, les couvrantes, les talons en biais… Seul modèle toléré : la ballerine très décolletée avec semelle ultrafine. Celle-ci supporte aussi bien un jean (slim ou droit) qu'une robe courte ou au genou.

Aïe, mes pieds !

Pour « faire » des chaussures un peu étroites ou « trop neuves », portez-les chez vous avec des chaussettes dix à quinze minutes par jour. Si vous continuez à souffrir, emmenez-les chez le cordonnier : il pourra vous faire gagner presque une demi-taille en les assouplissant à l'aide d'une forme.
Un conseil : enfilez-les directement après pour finir le travail.

LES CHAUSSETTES MIU-MIU
JOUENT AVEC LES SANDALES
VOUELLE.

Le blanc, CE N'EST PAS POUR LES GROSSES

Il n'y a pas de couleurs réservées aux minces, aux blondes, aux pâlottes, aux brunes ou aux rousses… Ce serait trop simple ! C'est aussi une question de style, de matière et de coupe. Bien sûr, quand on a des formes, mieux vaut éviter le pantalon blanc en lin mou ou le legging blanc (d'ailleurs, tout le monde devrait les oublier !). Une fille très pulpeuse peut être à tomber dans un smoking ou un slim blanc à condition qu'il ne soit pas stretch et taille basse.

Le noir VA À TOUT LE MONDE

« Prenez-le en noir, ça va avec tout ! » nous assènent certaines vendeuses lasses de nos hésitations. Pas forcément vrai. Contrairement à ce qu'on pense, un sac noir ou des chaussures noires ne se marieront pas avec plus d'éléments de notre garde-robe qu'un beau bordeaux, un rouge profond ou un joli gris anthracite dans une belle matière. D'ailleurs, le mariage chaussures noires avec des jambes blanches n'est pas très heureux. En outre, il faut veiller à la matière. Rien de plus disgracieux qu'un tailleur ou que le fameux pantalon droit, en polyester, infroissable et toujours trop moulant que portent beaucoup de femmes au bureau.

Le velours, ÇA FAIT JEAN-PIERRE LÉAUD

Oui, s'il est défraîchi et avachi ! Non, s'il est bien coupé et à la bonne taille. Rien de tel qu'une veste en velours lisse ou milleraies un peu rigide pour donner de la structure à la silhouette. Dans un esprit brit-pop, on peut oser le costume en velours avec une chemise à fleurs ou lavallière. Quant au pantalon milleraies stretch, il est certes plus casual mais remplace avantageusement le sempiternel jean. Choisissez-le dans des couleurs douces : rouille, sapin, kaki, caramel, châtaigne, prune, rose indien… La panne de velours est plus délicate : entre les options Prince en concert ou prof de travaux manuels bénévole, reste la robe de soirée sobre près du corps. Dans tous les cas, évitez l'aspect mou et fripé et les couleurs fatiguées.

Le cuir,
ÇA FAIT MUSICOS

On ne vous parle pas du cuir « catogan, boucle d'oreille et bedaine ». Depuis l'invention du cuir stretch, on a oublié l'affreux cuir qui poche aux fesses et aux genoux. Si votre morphologie vous le permet, choisissez un slim ou une jupe crayon. Sinon, préférez un format jean ou une jupe corolle aux genoux, parfaite pour masquer des rondeurs qu'on n'assume pas. Bien sûr, évitez le total look cuir. À moins que vous ne soyez le sosie d'Elvis Presley ! Si vous portez un pantalon ou une jupe en cuir, laissez votre perfecto et vos santiags au vestiaire et rendez votre tenue ambiguë en l'embourgeoisant avec une matière qui va adoucir sa rudesse : une chemise en soie, un peu transparente, une veste en tweed… Songez à son pouvoir érotique, notamment aux photos d'Helmut Newton. Et allez voir du côté des couleurs. Il n'y a pas que le noir : pensez au rouge sang, prune, caramel ou marine.

AVEC SON PERFECTO ET SA ROBE À FLEURS, ROMANE GRÈZE, ÉTUDIANTE, N'A RIEN D'UN ROADIE.

Aïe, mon porte-monnaie !

Une pièce griffée et chère n'est pas une garantie de qualité. Aujourd'hui, beaucoup de créateurs font fabriquer en série à l'étranger avec des tissus achetés au kilomètre et des finitions bâclées. En vingt ans, la qualité a baissé alors que paradoxalement, les prix ont flambé. Oui, on nous prend pour des poires et on nous presse comme des citrons !

ROMANE ET SES LEGGINGS
EN CUIR MAJE.

CLAIRE DHELENS, RÉDACTRICE
MODE, APPORTE UNE TOUCHE
GLAMOUR À SON COSTUME CÉLINE
AVEC SA BLOUSE LÉONARD.

Inter*view*

SANDRINE VALTER,
créatrice de la marque Aeschne.

Une belle matière, ça veut dire quoi ?

C'est d'abord une sensation. Lorsque vous touchez le vêtement, le tissu doit être doux. Ensuite, lisez l'étiquette : elle doit vous renseigner sur la composition. Mieux vaut privilégier les matières naturelles : coton, soie, laine, sans oublier la viscose qui est de l'écorce d'arbre. Mais attention, il y a mille textures de coton, de soie et de laine. Certains cotons sont bas de gamme alors que d'autres ont le toucher – et le prix – de la soie. C'est une question de tissage et de traitement. D'où l'importance du toucher. Pour vérifier si un manteau en laine est de bonne qualité, faites comme moi quand j'achète mes tissus : frottez deux parties de la pièce l'une contre l'autre. S'il y a des bouloches, c'est mauvais signe. Vous pouvez aussi faire ce test avec le cachemire.

Il faudrait bannir le synthétique ?

S'il entre en majorité dans la composition, comme c'est le cas dans les enseignes très petits prix où tout brille, c'est moche ! Mais il ne faut pas diaboliser le synthétique pour autant. Il a des vertus.

Par exemple, il faut savoir que la lumière « brûle » la soie. Au bout de dix ans, on dit qu'un vêtement en 100 % soie est « cuit ». Une petite pointe de synthétique l'aide à traverser les années et à la rendre plus résistante. De même pour le polyester et l'acrylique qui permettent à un pull de moins boulocher et de passer en machine. Parce que la pure laine – dont le cachemire – finit toujours par boulocher. Quant à l'élasthanne, il rend le tissu plus élastique et confortable. L'idéal est de ne pas avoir plus de 5 % de synthétique dans un vêtement. C'est écrit sur l'étiquette !

À quoi reconnaît-on les belles finitions ?

Retournez le vêtement. S'il est aussi beau à l'extérieur qu'à l'intérieur, c'est bon signe. J'utilise de la soie – et non du polyester – pour doubler mes manteaux et mes vestes. C'est plus fragile mais plus joli. La qualité, c'est précieux mais ça demande de l'entretien. C'est une question de choix. Vérifiez les raccords de tissu : par exemple, les carreaux ou les rayures doivent être bien en face. Regardez les surfils et les fils : pendent-ils ? L'ourlet est-il rond ou pendouille-t-il ?

Les boutonnières sont-elles bien nettes ? Les boutons bien accrochés ? Si vous voyez un bout de fil qui dépasse, c'est qu'il a été posé par une machine. Pour le moment, on n'a pas encore inventé de machine sachant faire les points d'arrêt ! Du coup, les boutons finissent tous par tomber. D'ailleurs, soyez attentive aux boutons : le plastique, c'est plus costaud que la nacre ou le verre mais moins chic. Quand on fabrique des vêtements en grande quantité, on se dépêche, alors on bâcle les finitions. Dommage, car elles font aussi le chic d'une pièce.

Une belle coupe, c'est quoi ?

C'est un vêtement qui « tombe bien » sur vous et dans lequel vous vous sentez parfaitement à l'aise. Ne vous fiez pas uniquement à sa beauté sur un cintre. Même si le styliste est excellent, s'il travaille avec un modéliste

moyen, son vêtement sera loupé. Comme pour une maison qui s'effondre lorsque l'architecte est mauvais, une robe peut mal tourner si le modéliste a bâclé son travail. Par exemple, s'il crée à plat, sur un ordinateur, comme c'est le cas pour la fabrication de masse, le tombé sera nul. Un bon modéliste doit tenir compte du corps féminin et travailler en volume sur un mannequin. Si soudainement, les vêtements d'une marque

> **66** *Quand on fabrique des vêtements en grande quantité, on se dépêche, alors on bâcle les finitions. Dommage, car elles font aussi le chic d'une pièce.* **99**

que vous aimez ne tombent plus bien, c'est que le modéliste a changé ! D'où l'importance d'essayer avant de s'emballer. Et d'avoir de la curiosité pour une pièce qui n'est pas forcément attirante sur un cintre : sur vous, elle pourrait bien devenir exceptionnelle.

Nos meilleurs amis ? Les vêtements qui nous suivent. Toujours là dans nos grands moments de détresse vestimentaire. Les modes ont beau changer, notre corps a beau évoluer, notre moral vaciller, on peut compter sur eux. Même si on les a délaissés quelques mois, voire quelques années, au fond de notre armoire parce qu'on ne les trouvait pas assez drôles et qu'ils nous racontaient toujours la même histoire, un jour, on les retrouve avec plaisir. Et le plus beau, c'est qu'ils ne nous en veulent pas. Mieux, l'absence les a rendus encore plus séduisants et désirables.

À la vie à la mode

Les vrais amis sur qui compter

Parce que ce sont des basiques qui se marient forcément avec des vêtements à la mode du moment et que la patine du temps les rend encore plus beaux. « La » condition de leur fidélité : on a su mettre le prix. Sous-entendu, on a veillé à la qualité du tissu, du cuir, des finitions… On ne vous le dira jamais assez : s'il y a des pièces sur lesquelles il faut investir et ne pas lésiner, ce sont bien celles-ci ! Les vrais amis se présentent. Voici les nôtres. À vous d'inviter les vôtres dans cette liste.

LE TRENCH BURBERRY
SE PORTE AUSSI FUNKY.

Le TRENCH

Après la fatale Lauren Bacall en trench bien ceinturé, Jane Birkin et Charlotte Gainsbourg l'ont modernisé en le portant de façon désinvolte avec des baskets et un jean. Ce n'est plus seulement un vêtement de pluie, il crée la silhouette.

À condition de choisir un modèle coupé dans une gabardine qui a « du corps ». Avec le blouson de cuir, c'est une des rares pièces qui gagnent à se porter élimées. D'ailleurs, ce n'est pas pour rien si on trouve aux puces ou dans les friperies des vieux Burberry toujours vaillants.

Choisissez bien votre trench !

Quelle que soit la marque, privilégiez la matière. Évitez les synthétiques et le coton mollasse, à l'aspect froissé ou brillant, au profit d'une belle gabardine, d'un drap de laine un peu rêche ou d'un cuir comme dans Matrix. Ne négligez pas la doublure qui donne du corps au manteau, ni les détails (boucles au niveau des épaules, boucles en cuir aux manches, rabat au niveau du cœur...).

Les bonnes BOTTES

Longtemps réservées aux hommes (le port de la botte figure dans la liste des condamnations de Jeanne d'Arc lors de son procès), c'est grâce à Courrèges qu'elles sortent définitivement du placard masculin pour s'imposer aux pieds des femmes. Depuis, de Hermès à Louboutin en passant par Isabel Marant, chaque créateur ne se lasse pas de les interpréter hiver comme été.

BOTTES ANN DEMEULEMEESTER.

PRISCILLA DE LA FORCADE,
COMÉDIENNE, CLASSIQUE
EN BURBERRY.

NASTASIA, TOP EN DENTELLE
GUNHILD, JEAN H&M,
BOTTES ASH.

Marie Jacquier, responsable de la communication des Musées Nationaux, pantalon Balenciaga, boots Ann Demeulemeester.

Les
TROPÉZIENNES

On s'offre des bottes de moto à la sortie de l'adolescence pour faire sa rebelle. Quadra, on les porte toujours parce que ça déniaise une tenue trop sage. On a aimé les camarguaises et les cavalières en cuir naturel avec des shorts et des combis d'été, on les ressort pour les jours décontractés avec un jean ou un pantalon velours droit ou évasé. On les nourrit de crème, on les ressemelle, on les fait briller, on les aime lustrées comme les bottes d'un lord anglais. Les camarguaises (nos bottes western à nous) font un grand retour, on peut donc les sortir du placard ou investir dans une paire neuve : on les porte avec des jupes et des collants colorés ou, sagement, avec un jean. La botte cavalière se marie tout aussi bien avec le style *wasp* à la Jackie Kennedy qu'avec un côté moins sage, micro-jupe, short en jean...

Ou comment une simple et fine semelle de cuir et quelques brides sur pied hâlé (et pédicuré !) font la démarche élégante. Après, à vous de choisir entre une paire à 40 euros qui s'autodétruira en trois mois et un vrai modèle fabriqué artisanalement. Si vous voulez qu'elles traversent plusieurs étés, achetez-les chez Rondini. À Saint-Tropez ou sur le web. Oui, c'est plus cher. Mais, ça madame, c'est de la qualité maison !

La chemise blanche
... OU NOIRE

On ne vous parle pas du chemisier de fille, toujours trop cintré et étriqué. Allez plutôt voir du côté de la penderie de votre homme et volez-lui discrètement sa plus belle chemise : tergal interdit, beau coton épais de rigueur et sans chichis (de préférence sans poche et sans pattes d'épaules). Elle devient super-sexy, ceinturée de près, portée seule, en robe. Elle donne du chien au jean le plus simple et de la classe au short le plus court. Elle modernise une jupe droite ou crayon un peu sévère. Bref, elle sait presque tout faire ! Nos fournisseurs préférés : Dior Homme, Charvet, Agnès b, Gap...

pagnent, il sait se montrer sophistiqué ou casual. Son point commun avec la chemise blanche : accessoirisé avec à-propos, il passe sans encombre de la réunion prise de tête au dîner en tête-à-tête ! Même pas besoin de casser sa tirelire pour trouver « ze » cachemire. Ceux de Monoprix sont parfaits. Le vôtre feutre ? Investissez dans un petit « aspirateur-avale bouloches » à piles (en droguerie). C'est magique ! Lavez toujours votre pull à la main, dans une eau tiède (gare aux écarts de température : fatal !), avec une lessive spéciale pour la laine ou, presque mieux, avec un shampoing doux. Essorez-le avec douceur et faites-le sécher à plat sur une serviette de toilette.

Le pull V
EN CACHEMIRE

Il en faut un ! Près du corps ou choisi un peu grand, glissant malicieusement sur l'épaule. Qu'on soit ronde ou filiforme, il va à toutes les femmes et peut nous sauver de bien des désastres vestimentaires ! Porté à même la peau sur une jupe crayon et juste égayé de bijoux, sur une chemise sage au col boutonné avec un jean ou un pantalon de tweed... En semaine ou le week-end, selon les accessoires qui l'accom-

« Le basique qui ne me quitte jamais est le pull noir. J'en ai des tonnes, c'est la base d'un look sur lequel je peux ensuite greffer des éléments plus forts. »

Maria Luisa,
fashion editor du Printemps
ELLE, 24 juin 2010

Le
CHINO

C'est le jumeau du jean. Ce pantalon qui vient des États-Unis, unisexe, en toile de coton, avec ou sans pinces, se porte large, étroit, long, court, roulotté en bas… La Française qui a du style évite de le porter avec des baskets et un sweat. Bien trop casual ! Elle le préfère avec une chemise masculine ou écossaise, un beau chemisier de soie et des bijoux, un marcel et une veste d'homme, des sandales sophistiquées à talons ou des boots… On l'aime dans tous ses états et toutes ses couleurs. Surtout dans son mastic d'origine.

Le
CABAN MARIN

Corto Maltese ne s'en sépare jamais, Saint Laurent en a fait un classique de notre dressing. Lui non plus ne supporte pas la médiocrité. Il n'est racé et élégant que confectionné dans un drap de laine épais et un peu rêche. Bref, conforme à l'original.

JULIE BOCQUENET, DIRECTRICE DE BOUTIQUE, FOULARD HERMÈS, TOP H&M, CHINO ZARA.

Le blouson DE CUIR

Il a été revisité par toute la planète mode. Avec plus ou moins de bonheur. Choisissez-le dans un cuir tout souple, tout doux et près du corps, puis laissez-le se patiner : c'est votre seconde peau, votre armure. N'ayez pas peur, en le mettant sur vos épaules, de bousculer vos petites robes romantiques, elles vont adorer ! Nos préférés : Swildens, Gérard Darel, Virginie Castaway, Heimstone et... Rick Owens.

Oui, on peut trouver son perfecto aux puces !

Un cuir, ça se soigne

Le lait démaquillant et le lait pour bébé sont très efficaces pour nettoyer et entretenir une pièce de cuir : vous en déposez un peu sur un morceau de coton que vous passez en mouvements circulaires et sans frotter sur toute la surface du cuir. Attention, si la couleur déteint sur le coton, arrêtez tout et portez votre blouson (veste, manteau, jupe) chez un teinturier spécialiste du cuir. Et si vous voulez le stocker pour quelque temps, retournez-le, enveloppez-le dans du papier de soie et glissez-le dans un grand sac plastique bien fermé.

Comment entretenir de bons rapports avec ses amis

Je ne les range jamais sales, sinon festin de mites assuré. Je les glisse dans un sac sous vide avec des grains de poivre, le meilleur antimites non allergène et non polluant. J'évite à mes chaussures de craquer en les nourrissant de crème hydratante et en leur mettant des formes en bois ou en les bourrant de papier journal.

Inter*view*

ALAIN CHAMFORT,
compositeur-interprète.

Pour vous, qui aujourd'hui représente « la Française » ?

Il y a trente ans, Deneuve incarnait cette perfection qui correspondait aux codes de cette époque dont Inès de la Fressange est le dernier symbole. Aujourd'hui, on pourrait dire que c'est Kate Moss, un peu déglinguée, un peu rock'n'roll ! En fait, l'élégance est devenue un mythe : c'est la consommation de masse qui donne l'idée des tendances. Mais d'un autre côté, l'image parfaite où tout est calculé n'est pas plus intéressante. Il faut qu'il y ait une certaine désinvolture.

La notion d'élégance a donc évolué ?

Je n'arrive plus à avoir de jugement. Pour moi, c'est le résultat d'une tenue, d'une allure, d'un raffinement. C'est le produit d'une éducation bourgeoise… sans garantie de résultat. Autrefois, on avait cette capacité à repérer une belle matière, une jolie coupe… Maintenant, on a moins l'œil et d'intérêt pour ces choses-là.

Les filles élégantes existent toujours ?

Oui ! Je dirais que c'est une fille qui a la chance de pouvoir porter n'importe quoi sans avoir l'air apprêté. Elle a du bon sens, elle sait mettre un vêtement en fonction de la situation, elle a de l'humour dans sa façon de s'habiller. Et surtout, elle sait mettre en valeur sa personnalité sans vouloir ressembler à quelqu'un d'autre. Il me semble essentiel de ne jamais oublier de rester soi-même. N'oublions pas que le vêtement vient souligner ce que nous avons dans la tête. Nos choix soulignent ce que nous sommes.

Pour vous, quel est le summum du mauvais goût ?

En numéro un, le pantacourt ! Il fait une ligne épouvantable avec ses poches « prêtes à intervenir ». Ma deuxième pièce interdite est le string. Y compris dans l'intimité. Je déteste l'exposition de fesses ! Même sur une fille canon, c'est vulgaire. Ça ne me gêne pas de voir la forme de la culotte sous un pantalon, c'est préférable à la ficelle. Et puis, évitez de croire que la minijupe moulante et les hauts talons sont sexy ! Tout ce qui est séduisant peut être gommé par un mauvais choix.

> **66** *En fait, l'élégance est devenue un mythe : c'est la consommation de masse qui donne l'idée des tendances.* **99**

LE VRAI PERFECTO SCHOTT
VERSION BUBBLE-GUM
PAR ROMANE.

Ça vous change
Silhouette une

Les détails qui vous boostent une tenue

On n'a pas forcément les moyens de s'acheter un manteau à chaque hiver, ni de s'offrir les pièces « du moment ». Avec l'explosion des grandes enseignes et le succès phénoménal de certaines marques, on a plus de chance de se retrouver avec le même look que sa voisine : elles prennent de moins en moins de risque, tout le monde copie tout le monde et tout finit par se ressembler. Mais avec une sélection d'accessoires bien sentis et bien combinés, on peut dynamiser, moderniser et donner du volume à sa garde-robe. D'autant plus que depuis quelques années, les créateurs d'accessoires fourmillent d'idées pour nous rendre unique. En plus, l'accessoire permet de changer l'humeur de notre look. Il rend la silhouette plus personnelle.

AUDE PÉPIN, COMÉDIENNE
ET ZAPPEUSE À CANAL+,
REHAUSSE SA COMBINAISON
APC AVEC UNE CEINTURE
ALAÏA VINTAGE.

Vous êtes tellement COLLANTS

O n les achète en série, juste parce qu'il faut avoir chaud ou que l'on ne peut pas être jambes nues. À tort. Mal choisis, ils ringardisent illico (ah ! les collants mousse couleur chair !)... Judicieusement portés, ils ont le pouvoir de réveiller une tenue morne et de rajeunir l'allure. C'est un accessoire relativement petit prix qui révolutionne un look. Encore faut-il bien le choisir. Les collants voile sur jupe courte ou robe noire, on oublie ! À moins de vouloir ressembler à la vieille assistante d'un notaire de province. Si on craint la faute de goût, on va vers l'opaque noir. Mais les couleurs ne sont pas réservées aux Anglaises et aux petites filles. On les associe à des robes ethniques chic, des jupes courtes, du velours et du jean. On sort du rouge (dangereux avec du noir !) pour aller vers un beau violine, un gris anthracite, un fuchsia lumineux, un lilas... Superbe avec du kaki et des couleurs d'automne. Attention, on n'accumule pas les couleurs sous peine de ressembler à un cupcake !

MICHELLE N'A PAS PEUR DE MÉLANGER LE ROSE SHOCKING AVEC LE VANILLE DE SA ROBE APC.

Même pas CHÈCHES !

La dentelle et les résilles marchent aussi bien avec une jupe droite classique qu'avec une petite robe en molleton ou un short en cuir. Avec des escarpins, des bottes ou des sneakers. Les plus audacieuses peuvent les porter avec des grosses chaussettes et des sandales.

À manier avec beaucoup de précaution, les motifs imprimés fleurs, papillons et autres nunucheries qui ont vite fait de vous faire ressembler à une « bab » sur le retour...

On préfère le gros chèche à l'écharpe en laine écossaise ou beigeasse boulochée qui fait vite « sortie d'école à la Muette ». Mais alors, c'est quoi un chèche ? Une grosse pièce de tissu coloré, ethnique et exotique : « C'est en fait ce que portent les Touaregs autour de la tête, explique Yaya, docteur es-chèche et créatrice de la boutique Yaya Store à Paris. C'est le seul maquillage qui ne nécessite pas de démaquillage. » L'hiver, il réchauffe et ensoleille nos manteaux. Y compris ceux de nos amis les hommes. D'ailleurs, il est presque plus beau sur une tenue classique et n'a pas son pareil pour illuminer les basiques (trench, veste d'homme, blouson de cuir…). L'été, s'il est fin et large, on le porte aussi en paréo ou en robe dos nu. Rapportez-le de voyage (sublime batik de Bornéo ou pièce de tissu exceptionnel d'Afrique, du Mexique ou d'Asie). Ou, si l'aller-retour Paris-Tijuana n'est pas dans vos moyens, direction Yaya Store, Epice et Antik Batik.

Si vous avez des stocks de foulards, jouez avec : bien serrés autour du cou avec une tenue funky, en bandeau dans un esprit sixties, en gitane avec des grandes créoles ou autour du poignet...

LES COLLANTS RÉSILLE S'AMUSENT AVEC DES ESCARPINS LOUBOUTIN.

YAYA, RESPONSABLE DE LA BOUTIQUE YAYA STORE ET SON CÉLÈBRE CHÈCHE.

SANDALES ATELIER
MERCADAL, VÉRITABLES
BIJOUX DE PIED.

Les chaussures-
BIJOUX

Parce qu'elle jet-setisse le jean le plus brut et le kaki le plus sobre, il faut casser sa tirelire une fois dans sa vie pour s'en offrir une belle paire. Attention : 1) on n'accumule pas les signes extérieurs de richesse : on mise sur le *low-profil* ; 2) on montre des pieds nickel : pédicurés, vernis, polis (argh ! les talons fendillés et les ongles mal soignés). On peut même les porter l'hiver avec des chaussettes lurex. Shopping : sandales-bijoux sublimes chez Mercadal, Manolo Blanik, Antik Batik, Vouelle…

NU-PIEDS À TALONS CHARLES KAMMER.

Le gros
BIJOU

Il rehausse d'emblée une simple robe trois trous, féminise un ensemble veste-pantalon de working woman et sophistique un jean. Pour que la chose fasse son effet, on vire la bague-émeraude des dix ans de mariage, les pampilles fantaisie, la montre sport… Le bijou ne supporte pas la concurrence. « Les » bonnes pièces : le collier plastron avec des boules colorées en résine et ruban gros-grain (Marni), l'accumulation de sautoirs dorés (Imaï), de grosses chaînes gourmette en argent (Adeline Cacheux), la manchette (Aime).

Recette peau de bébé

Après avoir délicatement lavé et poncé vos pieds avec un savon doux, mélangez dans le creux de la main un peu de crème Avibon et de crème Neutrogena pour pieds secs. Enduisez-vous généreusement les pieds, enveloppez-les dans du film transparent, enfilez des chaussettes en coton et couchez-vous avec (si vous ne dormez pas seule, le temps de visionner quelques Mad Men suffira).

LA FUMEUSE D'ALICE
HUBERT FAIT TOUJOURS
SON PETIT EFFET.
JOLIE VESTE AVEC COL
EN CUIR CLAYA.

Louboutin, et que ça brille !

Le bijou
DE TÊTE

On n'avait pas vu ça depuis Woodstock ! Les perles vintage, délicate plume de paon, métal tressé, fleurs extravagantes, plumes folles, chaînes délicates parent nos cheveux. Et pas seulement les têtes des ados. On reparle même de voilette et de bibis. Le *head band* est un accessoire incontournable des femmes qui aiment s'amuser avec la mode.

Attention aux fautes de goût ! Stop aux gadgets pour cheveux !

Vous savez ces pinces en plastique à dents imitation corne et ces chouchous en velours fluo ? Ces machins ne devraient pas sortir de votre salle de bains. Idem pour les mini-pinces Hello Kitty ou babioles colorées en forme de libellule tellement mignonnes sur... les petites filles. Bannissez tout ce qui fait sortie de douche ou du lit. Vous imaginez Kate Moss ou Inès de la Fressange avec un chouchou ? Pas d'excuse, on trouve de jolis accessoires pour cheveux dans les grandes enseignes ou chez les créateurs (Sylvain le Hen, Johanna Braitbart, Libertie is my Religion, Pascale Monvoisin).

NAPHSICA PAPANICOLAOU, ÉTUDIANTE EN DROIT, PORTE UN TEE-SHIRT AMERICAN APPAREL ET UN BIJOU DE TÊTE HAIRDESIGN ACCESS.

MARIE PEYRONNEL,
JOURNALISTE, A PIQUÉ
LA VESTE EN CUIR MYTHIQUE
D'AGNÈS B DES ANNÉES
1980 DE SA MAMAN.

La
CEINTURE

Vous lésinez sur les ceintures ? Malheureuse ! Une ceinture cheap avec une vilaine matière, un doré vieillissant, une croûte de cuir, une boucle en métal bon marché ringardisent tout. D'où l'intérêt d'éliminer les ceintures en similicuir des pantalons des grandes enseignes. Comme les chaussures, c'est une pièce qui supporte mal l'à-peu-près : le cuir bon marché est rarement chic. Mieux vaut se tourner vers du tissu, de la toile épaisse comme les ceinturons army. Car une ceinture ne sert pas qu'à retenir un pantalon, elle « finit » la silhouette : une jolie ceinture en cuir toute simple monte le niveau d'une veste petit prix, un ceinturon masculin modernise un trench, un serre-taille ultra-féminise une robe droite.

Les
CHAPEAUX

Entre la reine d'Angleterre endimanchée et Boy George, il y a une troisième voie. Depuis que Justin T et Pete D ne sortent plus sans leur trilby, nous aussi, on a envie de se faire une petite tête canaille chic. Certes, on parle toujours de tête à chapeaux (on l'a ou pas), mais il y a tellement de genres et de formes que finalement, tout le monde peut se targuer d'en avoir une. Le risque zéro : le chapeau d'homme. De 15 à 77 ans, il se marie à tous les styles : il accompagne aussi bien une robe romantique en dentelle qu'une veste en tweed. Sans oublier les capelines colorées très « été à Capri ».

PATRICIA CHELIN,
ATTACHÉE DE PRESSE,
SA CASQUETTE D'HOMME
H&M ET SA BAGUE
SANDRINE DE MONTARD.

Inter*view*

ALIX PETIT,
créatrice de Heimstone.

Comment voyez-vous la mode aujourd'hui ?

On est totalement immergé dans le *mass market*. Je ne suis pas contre les gens qui font de l'argent, mais on se moque trop des consommateurs : les vêtements sont chers alors que la plupart sont fabriqués en Chine dans des matières de mauvaise qualité. Ce qui les rend chers, c'est tout le marketing fait autour, mais la qualité et le savoir-faire ne sont plus là. Les vêtements ne sont plus faits pour durer mais pour être consommés et remplacés rapidement. Mon but est que mes vêtements durent. Ils sont intersaison.

Je ne comprends pas pourquoi à la fin des saisons une pièce perd 50 % de sa valeur ! J'aime les choses indémodables et intemporelles. On devrait se moquer des saisons. Pourquoi, d'une saison à l'autre, un vêtement n'aurait-il plus le droit d'exister ? Pourquoi ne pourrais-je pas porter ma robe de l'été dernier avec des collants de laine et un gros pull ?
Pour mes collections, je passe autant de temps à dessiner mes modèles qu'à dessiner mes tissus, mes imprimés ; je contrôle tout de A à Z. Je fais cela pour leur donner de la valeur, pour les individualiser. Je ne veux pas retrouver mes imprimés ailleurs. Je veux que mes pièces durent, que ce soit indémodable. On aime ou on n'aime pas mes imprimés, mais ils sont uniques.

Quelles sont vos influences ?

Je n'ai pas d'influence mode, les tendances m'indiffèrent. Je ne lis pas tellement la presse féminine. Je vais rarement à des défilés, car je ne suis pas sensible à la façon dont la mode y est traitée. Pour moi, le vêtement n'est pas fait pour que les femmes ressemblent à des modèles stéréotypés ; il doit nous représenter, exprimer qui on est vraiment. Les voyages m'influencent, les ballets, les livres, la musique, les rencontres, tout sauf ce qui a à voir avec la mode. Je crée ce que j'aime porter, et tant pis si ce n'est pas « tendance ». Si j'ai envie de faire avec du jaune, je fais avec, que ce soit dans l'air du temps ou pas ! Je n'ai pas de barrière dans ma tête, je peux mélanger les imprimés, les couleurs, cela ne me pose aucun problème. En fait, je veux construire un univers unique dans une boutique à dimension humaine. D'ailleurs, je ne suis pas folle des grands magasins : l'idée de pouvoir,

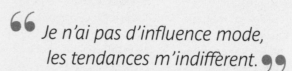

> **❝** *Je n'ai pas d'influence mode, les tendances m'indiffèrent.* **❞**

au même endroit, acheter des vêtements, boire un verre ou déjeuner me met mal à l'aise.

Quel est votre style vestimentaire ?

Je n'ai jamais eu de style particulier et la manière dont je m'habille est le reflet de moi-même. Je pense que je me suis toujours habillée comme ça, depuis l'adolescence. Et les femmes qui viennent chez moi soit ont déjà des looks hyper-affirmés soit sont invisibles et veulent mettre un coup d'éclat dans leur look, avec une pièce originale.

À Los Angeles, elles sont plus glamour, plus hollywoodiennes. En revanche, les Françaises ont une élégance que les Américaines n'ont pas.

Pensez-vous que la société de consommation influence la mode ?

La société de consommation influence la mode depuis des années déjà. On fait croire aux gens qu'en s'habillant comme une telle ou un tel, ils deviendront cette personne ! On ne s'habille plus parce « qu'on est » mais pour ce qu'on veut être et, de préférence,

66 *Je trouve les femmes françaises classiques et très belles.* 99

Comment trouvez-vous la femme française de la rue ?

Je trouve les femmes françaises classiques et très belles. À New York, elles sont plus baroudeuses, plus libres avec leur apparence. Elles viennent des quatre coins du monde, les cultures sont mélangées ; on croise dans les rues de cette ville de très beaux spécimens ! Elles peuvent mettre une vieille paire de boots avec un short court et avoir un super-tatouage !

on met dans la tête des consommatrices qu'il faut être comme telle ou telle célébrité. « Je suis comme ça, donc je m'habille comme ça » devrait être la façon de penser normale des femmes ! Notre société est très influencée par la culture de la téléréalité : les gens veulent être connus, sans travailler ; ils sont « artistes » parce qu'ils ont fait trois photos ! Le travail n'est plus reconnu, beaucoup de gens de ma génération ne savent plus ce que travailler veut dire !

Et dans la mode, vous sentez cette tentation d'aller vers la facilité ?

Les matières utilisées sont moins belles qu'avant. Il y a de plus en plus de synthétique « dégueulasse », acheté made in China au kilomètre. Les belles pièces de grands créateurs et de belles marques sont copiées par les enseignes qui font de la mode de masse, et les consommateurs prennent l'habitude d'acheter à bas prix des créations dont l'élaboration et la fabrication ont eu un coût élevé pour ces marques. Parfois, les fabricants ne savent plus faire certaines finitions, ils sont plus intéressés par l'argent que par le travail bien fait. Beaucoup ne savent plus faire certaines étapes dans la fabrication d'un vêtement – que ce soit en France, en Europe ou en Inde d'ailleurs. Tout un savoir a disparu, une certaine culture du beau n'existe plus dans certaines entreprises textiles. Il faut de la rentabilité, alors on a simplifié certaines étapes au mépris de la qualité. C'est devenu plus difficile et rare de trouver des gens qui travaillent le vêtement comme une pièce unique et de qualité.

Donner de la classe
à du
Cheap

Les trucs qui donnent du style
à une garde-robe « grandes enseignes »

Le style, ce n'est pas une histoire d'argent. L'élégance et l'originalité ne s'achètent pas. Sinon, nous irions chercher nos inspirations chez les plus fortunés de la planète. C'est justement le manque de moyens qui rend certaines personnes très créatives. Aujourd'hui, la tendance est au mixage. Profitons-en. Et n'oublions pas que si la consommation de masse permet au plus grand nombre de connaître les tendances et de se les approprier, la modération est de bon goût !

ARIANE DUBOIS, CRÉATRICE
DE LA MARQUE A DELAROCHE,
A COUSU UN BOUTON VINTAGE
SUR SON TOP TOUT SIMPLE.

Craquer,
oui mais avec
DISCERNEMENT

Si vous ne voulez pas ressembler à tout le wagon de métro, évitez les pièces mises en avant sur les pubs, en vitrine et sur les piles. Partir à la recherche de la pépite demande du temps et un œil. Il faut passer souvent (même si le risque de craquage est démultiplié !). Secret : chez H&M, gros arrivages le jeudi. Quelle joie de dénicher, bien caché derrière un portant, un tee-shirt noir mi-cuir mi-coton ou une chemise en soie couleur perle jugée au premier regard pas forcément intéressante, à tort ! Fuyez les basiques cheap : oubliez les pulls col V en « jersey de coton ». Zéro intérêt, le pantalon noir déjà trop froissé, le blouson avec trop de zips, le top en faux satin trop brillant, la robe moulante en jersey trop synthétique, la blouse indienne trop fadasse, le jean trop délavé, trop clouté, la ceinture en plastique trop plastique… Ne comptez pas y trouver les bons basiques qui durent. Sauf heureuse exception, on y va pour les amourettes d'une saison, pas pour les grandes passions.

Miser sur les
ACCESSOIRES
FAIRE-VALOIR

On croise tous les jours des femmes élégantes et stylées qui étonnent leur monde en précisant que leur jolie petite robe vient de chez H&M, Zara ou Mango. *Si, si, je t'assure !* Parce que les malignes ont compris qu'elles devaient jongler avec les accessoires qui font la différence : un joli chèche, une belle ceinture, des chaussures « créateur »… Oui, ça coûte parfois le prix de deux ou trois pantalons, mais lorsqu'on a déjà dix slims, on peut se passer du onzième pour investir dans une belle

SOULIER FRED MARZO.

ARIANE DUBOIS DONNE UN LOOK
TRÈS NÉO-BOURGEOIS À SA TENUE :
JUPE H&M, VESTE PAULE KA,
FOULARD CÉLINE.

DES SANDALES QUI CLAQUENT
— SURFACE TO AIR —
POUR ILLUMINER LE BITUME !
COLLIER MIMILAMOUR, TEE-SHIRT
EN CUIR ANN DEMEULEMEETER,
CEINTURE ANTIK BATIK ET JUPE
MONICA'S VINTAGE.

pièce à garder longtemps et qui donnera de l'esprit à notre silhouette, comme une ceinture-bijou griffée ou les chaussures inspirées de nos jeunes créatrices (Annabel Winship, Jancovek, Amélie Pichard…).

sonnaliser un gilet ou une veste ; ajouter un col en broderie à un pull ou une fourrure à une veste ou un manteau ; couper le haut d'un tee-shirt bord franc ; raccourcir un sweat d'homme avec un coup de ciseaux ; couper à mi-cuisses le fond d'une jupe en dentelle transparente…

MÉLANGER

Jamais de total look ! Pour avoir du style, il faut (savoir) mélanger pièce de créateur + un peu de cheap + un doigt de vintage. Cette règle est valable pour toutes les marques et tous les budgets. Hop ! un basique avec un accessoire qui twiste pour personnaliser et donner de la présence et de l'allure.

CUSTOMISER

C'est l'autre moyen de person-
naliser ses vêtements. Même sans machine à coudre et avec des mains pas forcément très expertes, on peut : remplacer des boutons « industriels » par des boutons chinés en droguerie (ou chipés sur une pièce qu'on ne porte plus) ; coudre un écusson pour per-

PARKA H&M
CUSTOMISÉE ET BIJOUTÉE.

DAUPHINE DE JERPHANION,
AVEC SA PARKA CUSTOMISÉE
ACCOMPAGNÉE D'UN SAC
MYSUELLY.

TRÈS BEAU MÉLANGE PANTHÈRE
DENTELLE MANIÉ AVEC STYLE
ET GRÂCE PAR AGNÈS POULLE.

Les lunettes mal choisies RINGARDISENT

Attention aux invisibles transparentes qui donnent l'impression que vous n'êtes pas sortie de chez vous depuis la fin des années 1990 ! Quant aux montures « originales » (Oh ! le papillon avec des vilains strass ! Aïe ! le modèle métallique avec double branche !), elles vivent mal certaines associations : impossible de marier une paire en plastique rouge avec une robe chic, on a l'air d'une diva échappée d'un cirque. Méfiez-vous des opticiens qui veulent absolument vous dévergonder. Les lunettes fuchsia strassées, c'est vous qui les aurez sur le nez toute la journée, pas le vendeur qui a su si bien vous convaincre. N'hésitez pas à prendre votre temps, prenez-vous en photo, revenez… Faites confiance à un opticien qui ne met pas les modèles griffés du moment en vitrine mais mise sur des « vrais » designers de lunettes. Pour ne pas vous tromper, optez pour une classique sans chichis et d'une forme sobre et épurée (Meima). Même pour l'optique, pensez « vintage ». Chinez aux puces : c'est justement la tendance des montures rétro en écaille ou imitation bakélite. D'ailleurs, certains opticiens n'ont jamais cessé de proposer des rééditions de modèles classiques comme la Manhattan signée Meyrowitz.

Les chaussures cheap NE PARDONNENT PAS !

Le cuir petit prix vieillit généralement mal. S'il y a un domaine qui ne supporte pas l'à-peu-près, c'est bien celui-là. Avec l'état des ongles des mains, ce sont les chaussures que regardent les DRH lors des entretiens d'embauche. Une chaussure mal cirée, avachie, avec le talon râpé de biais, la forme des orteils que trahit un mauvais cuir, vous laissera peu de chance. Un escarpin ringard cassera la plus classe des robes alors qu'une sandale raffinée apportera du chic à un jean. Même si vous n'êtes pas une dingue de chaussures – est-ce possible ? – c'est un accessoire qu'il faut dorloter et renouveler souvent. À moins d'avoir investi dans les classiques qui se patinent bien et traversent les modes. Faites passer le message à nos amis les hommes !

INÈS-OLYMPE MERCADAL, EN ROBE ZARA ROUGE AVEC UNE CEINTURE RAPPORTÉE D'INDE ET DES SOULIERS ATELIER MERCADAL VINTAGE.

« J'aime choisir mes vêtements comme des coups de cœur, peu m'importe les étiquettes... si cela me plaît, je peux craquer !
Les pièces cultes ne me fascinent pas. Ce snobisme vis-à-vis de certaines marques ou de certaines pièces ne m'a jamais vraiment atteinte, d'ailleurs j'ai mis vingt ans avant d'avoir le célèbre trench Burberry. Je ne suis pas du tout séduite par les "it", l'accessoire que tout le monde veut ou tout du moins que l'on essaye de nous imposer... J'adore transformer mes vêtements, tailler dedans, les teindre, rajouter des détails, les détourner... J'achète aussi des vintages que je réactualise, j'en rapporte de mes voyages. Aux États-Unis, ils sont incroyables. J'ai notamment acheté, il y a quelques mois, une veste de pompom girl que je porte avec une jupe droite longueur genoux, j'adore ! D'une manière générale, il me semble que les femmes manquent un peu d'audace, malgré les propositions qu'on leur fait dans la presse ou sur les podiums. Elles osent peu, même les très jeunes sont souvent trop conformistes et déjà uniformisées. Elles sont très influencées par les people, la presse people et cet esprit red-carpet qui a pris le dessus depuis quelques années. J'espère qu'on n'arrivera pas à ce qui est, malheureusement, arrivé en Italie... Le style "bimboland" qui a déferlé à la télévision italienne sous le règne de Berlusconi a failli effacer la femme révélée par le cinéma néoréaliste italien des années 1950-1960.

J'ai croisé une femme incroyable dans un petit village de l'Aubrac, qui s'habille justement comme ces actrices mythiques. Elle porte la jolie blouse en soie, la jupe en tweed, façon Chanel, les escarpins talons aiguilles, façon Louboutin, tout cela avec une certaine dégaine... Elle est simple et superbe, avec un look très actuel et moderne sous un style très classique... Elle a finalement beaucoup plus d'audace !

On peut faire illusion dans sa manière de s'habiller, mais si on n'est pas élégant et généreux dans sa façon d'être et de se comporter dans la société et vis-à-vis des autres, alors ce n'est pas vraiment élégant. L'élégance va de pair avec la façon dont on est et on se comporte dans la vie. »

Agnès Poulle,
rédactrice mode

LA JUPE EN DENTELLE ZARA
ÉROTISÉE GRÂCE À LA BONNE IDÉE
D'EN RACCOURCIR LA DOUBLURE POUR
ENTREVOIR LE DÉBUT DES CUISSES.

HAUT TARA JARMON,
CEINTURE MANGO,
LEGGING BERSHKA,
ESCARPINS MINELLI,
POCHETTE DESIGUAL.

À tous les coups, ça casse

• **L'étiquette d'entretien qui dépasse d'une écharpe :**
combien de fois a-t-on en envie de dégainer nos ciseaux dans le métro face à une voisine étiquetée ?

• **L'autocollant sous la semelle d'une chaussure :** ah oui, vous pensiez qu'on ne le voyait pas ?

• **La bretelle de soutien-gorge transparente :** autant la bretelle de soutien-gorge qui apparaît langoureusement d'un cachemire trop échancré peut être super-glamour, autant la bretelle plastique fait super-cheap... La culotte qui fait quatre fesses et le soutien-gorge qui « bourrelette » au dos.

• **Une taille trop petite... ou trop grande :** si ça tire ou si ça poche, ce n'est pas bon.

• **Les bouloches aux manches et à la taille sur lesquelles on s'acharne frénétiquement :** il existe des petites machines à piles très pratiques vendues en droguerie pour redonner une seconde vie à un pull ou un manteau râpé.

• **Les ourlets décalés :** oups ! L'ourlet de jean (ou de pantalon en jersey) trop court !

Inter*view*

Bertrand Burgalat,
compositeur-interprète.

© Photo Serge Leblon

Aujourd'hui, que signifie être élégant ?

L'élégance n'est pas basée sur la fortune mais sur le charme et l'intelligence. Il n'est rien de plus agréable que de voir des personnes habillées de façon singulière et qui leur ressemble. Ce n'est pas une question de moyens ni d'éducation mais de rapport au conformisme. C'est une façon sympathique de contrebalancer l'injustice de la société. Et aussi de lutter contre l'uniformisation actuelle des physiques.

Suivre la mode est-il un moyen d'avoir du style ?

Jamais la mode n'a été aussi présente. Avant les années 1980, la mode n'était pas « cool », la majorité des gens s'en fichait, c'était un monde pour les riches. Plus tard, comme il était moins mal vu d'avoir de l'argent, on a osé aller vers le luxe. Mais la fortune n'a rien à voir avec l'élégance. Il ne suffit pas d'acheter telle marque pour avoir du chic. Tant mieux ! C'est pourtant la réaction de millions de personnes qui pensent être branchées en portant la même marque, en écoutant la même musique, en allant dans les mêmes hôtels clichés… Il se passe aujourd'hui dans la mode ce qu'on a connu en musique il y a vingt ans : un monde de gaspillage et d'avarice dirigé par le marketing. Aujourd'hui, on nous demande de suivre le diktat « in/out ». Y adhérer, c'est faire preuve d'une fainéantise et d'un conformisme qui prouvent qu'on n'a pas de goût. J'ai également peu de respect pour les personnes qui payent des chaussures au prix fort mais exploitent leurs stagiaires.

Avoir de la personnalité, c'est prendre le risque de se tromper ?

Oui, mais j'ai beaucoup d'indulgence pour les « erreurs » d'habillement. J'aime la singularité si ce n'est pas une panoplie. Ce que je ne supporte pas, ce sont les trucs chers et moches comme ces chaussures lourdes de serveuses des pays de l'Est des années 1980 ! Au moins, quand on s'offre du luxe, par respect pour les personnes qui ont transpiré dessus, on s'arrange pour choisir une jolie pièce ! À la fausse « chaussure intellectuelle de luxe », je préfère les efforts ratés. C'est plus touchant.

Avec la démocratisation de la mode, trouvez-vous les femmes plus chics ?

Elles sont de plus en plus féminines mais leurs vêtements sont portés avec un tel conformisme que le charme s'envole. Prenez la mode des très hauts talons : c'est si peu subtil, téléphoné et bêtement généralisé qu'ils en perdent leur intérêt.

Délits de
Sale gueule

Ils ont mauvaise réputation et pourtant...

De temps en temps, la mode réussit à nous surprendre. Elle nous propose des pièces improbables dont on se dit : « Ça, moi, jamais de la vie ! » Quelques mois plus tard, par un matraquage inconscient des magazines et des vitrines, on se retrouve avec LA CHOSE sur le dos ou aux pieds. Il n'empêche que même si notre œil s'est habitué, ces pièces restent très délicates à manier. Il faut donc les porter avec modération... et style !

Dauphine de Jerpnanion, en legging Falke sur un tee-shirt Givenchy, porte une ribambelle de bijoux Marni et Alexandre Vauthier et un sac Marc Jacobs.

Le
PANTACOURT

NON : le modèle large, en lin, tout mou, avec éventuellement des poches sur les côtés, voire des lacets coulissants, auquel on associe un tee-shirt taille 14 ans, des baskets girly ou des sandales de curé. Au secours !

OUI : on le tolère à la Audrey Hepburn, c'est-à-dire près du corps et fuselé, 7/8 ou corsaire, sobre et chic, porté avec des ballerines, des spartiates fines ou des escarpins décolletés.

Le
SLIM

NON : le machin taille basse bourré de lycra qui écrase les fesses, révèle le sourire du plombier et se marie si bien à un tee-shirt mini ou à un débardeur en jersey au-dessus du nombril. Pouah !

OUI : le jean joliment coupé près du corps, en toile, cuir ou effet ciré, stretché, s'adopte du matin au soir. Si on a misé sur le bon numéro, on peut le faire basculer dans la case basique : il va aussi bien avec un tee-shirt un peu ample qu'une chemise en soie classique, des ballerines ou des bottes de moto.

Le
LEGGING

NON : en moule fesses, à la mode des eighties.

OUI : il ne se porte pas comme un pantalon mais à la place des collants, en demi-saison, avec une jupe ou une robe. Avouons qu'il supporte mieux les mollets fins et les chevilles gracieuses.

Le
BERMUDA

NON : version « île de Ré en ville » avec le polo pastel et les chaussures bateau (encore elles, et leur fort pouvoir de nuisance !).

OUI : version « jean boy friend » élimé, en été, avec des sandales hautes pour ne pas couper la jambe. Ou en hiver, un peu long, interprété version très masculine avec une veste en tweed, des collants en laine et des chaussures richelieu ou des low-boots. Là aussi, si on est un peu ronde, mieux vaut mesurer plus de 1,65 mètre pour l'assumer.

ROCK TOUCH GRÂCE AU LEGGING VINYLE (RELIGION).
ROBE-TUNIQUE EVA ZINGONI ET CHAUSSURES VANESSA BRUNO.

LES BEAUX LEGGINGS COLORÉS DE POLDER PORTÉS SUR DES SANDALES MICHEL VIVIEN, RÉVEILLENT LES TENUES PRESQUE CLASSIQUES DE CLARISSE ET DE MARINE.

LE PANTALON ZÈBRÉ
H&M PARFAITEMENT
ASSOCIÉ AVEC LA VESTE
ISABEL MARANT,
LE TEE-SHIRT BALENCIAGA
ET LA FOURRURE VINTAGE
QUI TRAÎNE
NONCHALAMMENT
SUR LE SOL !

Les imprimés
ANIMALIERS

NON : en version acrylique ou en mode cheap. Le léopard et autres motifs « bêtes » − , reptile, zèbre… − ne supportent pas l'approximatif, ni le turquoise sur les yeux, la terracotta et le contour des lèvres brun foncé.

OUI : en petites touches (chèche en laine sèche ou en soie, trilby, ballerines, boots poilues, pochette) ou carrément en pièce principale (veste en fourrure, trench imprimé). L'animal se porte de façon désinvolte et sauvage.

La
DOUDOUNE

NON : en ville (trop beauf ! Y compris pour les hommes).

OUI : à la montagne, à la campagne. Plutôt dans une version authentique (comprendre pas « fantaisie », ceinturée, glossée…) ou sans manches.

La **SANTIAG**

NON : en VO (= jean + blouson de motarde et démarche de cow-boy) ou avec une jupe droite.

OUI : en version Marylin dans les *Misfits* (= jean boy friend cassé sur la botte + chemise blanche) ou décalée (= jupe dentelle).

66 *J'adore les santiags. Mais surtout pas avec un jean, ça fait trop cow-boy. Je porte les miennes jambes nues, avec une jupe à volants achetée chez H&M, un blouson en jean ou mon beau perf en cuir Céline.* 99

Emmanuelle Seigner, *comédienne, chanteuse*

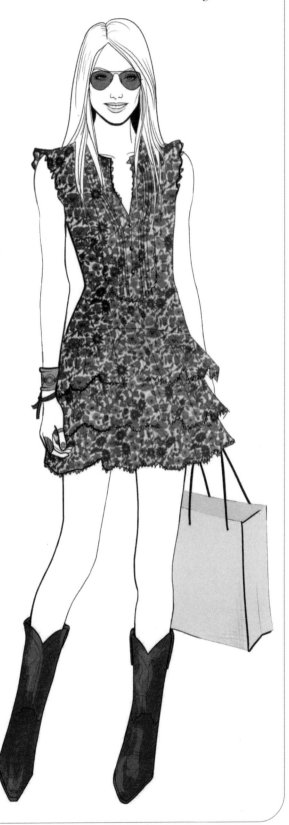

La jupe LONGUE

NON : au-dessus de la cheville avec des escarpins (= dame patronnesse).
OUI : style gréco-romantique ultra-longue, elle se porte avec des derbys ou des tropéziennes et une veste masculine. Ou, dans sa version baba chic petites fleurs, Woodstock le retour, avec des sabots ou des semelles compensées. Et contrairement à ce qu'on pense, elle n'est pas réservée aux grandes.

MARIE COURROY, FONDATRICE DE MODE TROTTER, AVEC SA JUPE LONGUE ZARA ET SA POCHETTE IRM DESIGN.

ÇA JAMAIS !

Les bottes UGG (pieds de Pokemon), les moonboots (trop tatouage tour des lèvres), les Converse après 25 ans (ado attardé), la veste matelassée (chasseur en goguette), le pantalon noir en tergal, le jogging en velours moulant, le tee-shirt cropped, la casquette de baseball, le tee-shirt BD, les chaussettes et caleçons à motifs, le bombers, le loden, la doudoune longue, la cravate avec un « imprimé rigolo », le chouchou en velours, la pince en plastique en dehors de la piscine…

> « *Le plus rédhibitoire pour moi : le contour des lèvres et les faux ongles. Et aussi le talon de mauvaise qualité. Rien de pire qu'un haut talon cheap ! Ah si, il y a le soutif rembourré sous un tee-shirt !* »

Yaya,
créatrice de la boutique multimarque Yaya Store, rue Montmartre à Paris

CONSTANCE LABBÉ,
COMÉDIENNE, PORTE
UNE JUPE LONGUE
OPPULENCE SUR
UN TEE-SHIRT
AMERICAN VINTAGE.

LA PIMPANTE JULIE BOCQUENET
PORTE UN TOP ISABEL MARANT
AVEC UNE VESTE EN LAINE
VINTAGE, UN SLIM ZARA ET DES
SANDALES COMPENSÉES ANDRÉ.
C'EST L'AUDACE DU MÉLANGE DES
IMPRIMÉS QUI FAIT LE CHARME
DE CETTE TENUE.

Inter*view*

JEAN-CHRISTOPHE HERAULT,
parfumeur.

© Photo William Beaucardet

Même si les parfums sont créés pour plaire au monde entier, existe-t-il encore un style français dans la parfumerie ?

Oui et heureusement ! Les Françaises aiment les territoires olfactifs chyprés qui traduisent un sillage sensuel, envoûtant, hyper-féminin et raffiné comme *Coco* de Chanel, *Aromatic Elixir* de Clinique, *Mitsouko* de Guerlain… Par ailleurs, la Française veille à se parfumer discrètement pour respecter la bulle de l'autre. Aux États-Unis, les femmes préfèrent les parfums gourmands, très capiteux et envahissants.

En Allemagne, les parfums chauds et puissants à base de vanille prédominent alors qu'au Japon, on ne sent quasiment jamais de parfum sur une femme.

À qui penseriez-vous si vous deviez concevoir un parfum « made in France » ?

J'imaginerais Marion Cotillard qui, pour moi, est l'expression de la beauté française. Elle dégage un charme très féminin avec un côté à la fois raffiné et naturel. Rien à voir avec la sophistication des Américaines qui ne peuvent pas sortir sans brushing ni manucure. La sophistication des Françaises tient du détail : l'association de deux couleurs, le choix d'un bijou…

Pour vous, le parfum reflète-t-il une personnalité au même titre qu'un vêtement ?

Dans le choix d'un parfum, il y a davantage de liberté, moins de code et de cloisonnement d'âge. Une femme d'un certain âge ira rarement dans une boutique pour ados alors qu'elle pourra porter le même parfum qu'une jeune fille. Par exemple, un parfum comme *Angel* est aimé par des générations différentes. Malgré tout, les goûts olfactifs expriment la personnalité et les intentions. Une femme très sensuelle peut surprendre en préférant les eaux florales fraîches et délicates à un parfum capiteux. Preuve que l'apparence ne suffit pas à déterminer la complexité d'une personnalité.

Il arrive qu'on se trompe de parfum comme on se trompe de vêtement ?

En général, l'erreur ne dure pas longtemps. Il y a un rapport charnel avec le parfum, donc si on ne se sent pas bien avec, on va dire qu'il « vire ». Généralement, c'est juste l'expression d'une senteur qui ne nous convient pas. Même si l'image, la bouteille ou la marque font partie du choix, il ne faut pas se contenter de le sentir cinq minutes dans la parfumerie. On doit prendre le temps de l'essayer sur soi, de bien se vaporiser et de vivre avec toute une journée. Bien qu'il soit invisible, le parfum a autant d'importance que le choix d'une tenue.

L'uniforme officiel des ouvriers américains du XIXᵉ siècle, également plébiscité par Marlon Brando, les Hell's Angels ou Jane Birkin, continue à emballer les podiums et la rue. Il est loin le temps [1975] où Hélène Gordon-Lazareff, créatrice du magazine *ELLE*, interdisait aux rédactrices de mode de se montrer au journal en jean ! Même s'il est encore banni de certains bureaux, c'est la pièce la plus vendue au monde.

Le jean, c'est comme les hommes : il y en a plein partout mais peu qui nous conviennent. On peut chercher le sien, celui qui nous fera des fesses de rêve, toute sa vie. Parce que contrairement à ce que prétendent les magazines, il n'y a pas un jean type pour chaque morphologie.

Un jean par Jour

Pour s'habiller du lundi au dimanche

Ce serait trop simple ! C'est plutôt une question de proportions et d'allure. Bonne nouvelle : on peut être ronde et porter un jean. La preuve avec Marylin Monroe et son 501 des années 1940 dans *La Rivière sans retour* ou Tara Lynn, la sublime top taille 48, ultra-sexy en slim 7/8 et escarpins rétro. Le problème, c'est qu'il est souvent mal porté. Or le jean, c'est un état d'esprit. Il supporte tout sauf le je-m'en-foutisme. Il préfère qu'on s'intéresse à lui un minimum. En lui offrant de jolies pièces plutôt qu'un vieux tee-shirt : chemise à carreaux, veste de smoking, blouse en soie, escarpins, derbys…

MARIE COURROY PORTE
UNE SALOPETTE D'HOMME
LEE, AVEC UN TEE-SHIRT
BASIQUE ET DES BRACELETS
AUTRES TRÉSORS.

Lundi,
UN SUPER-SLIM

Le jean « Iggy Pop » (comprendre bien serré partout) est très exigeant. Il ne doit pas plaquer les fesses, ni vous empêcher de respirer, ni dévoiler un petit bidon. Détail ô combien important : la bonne longueur. Il doit tire-bouchonner façon Jamie Hince ou se porter feu de plancher esprit sixties. Jamais entre deux.

Mardi,
UN PATTES D'EF

Depuis l'été 2011, les modeuses préfèrent l'appeler « flare ». C'est pourtant le même que portaient Diane Keaton ou Marianne Faithfull dans les années 1970. Ou, plus récemment, Charlotte Gainsbourg lorsqu'elle posait pour Gérard Darel. Le pattes d'ef allonge la jambe et fait rebondir les fesses. Si vous êtes rondelette, choisissez-le plus *boot-cut*, c'est-à-dire évasé à partir du genou. Dans tous les cas, faites un ourlet trrrès long (il doit quasiment couvrir la chaussure) et accompagnez-le de talons, d'un haut cintré ou d'une chemise rentrée à l'intérieur pour éviter l'effet monolithique.

Mercredi,
LE JEAN MEC

Une fois que vous avez trouvé le bon boy friend, piquez-lui son jean. Vous flottez un peu dedans ? C'est ce qu'on lui demande. Au passage, volez aussi une grosse ceinture et sanglez-vous pour vous faire une taille de guêpe. Rentrez votre tee-shirt (ou votre chemise) à l'intérieur, roulottez-le et enfilez vos stilettos. Non, vous n'aurez pas l'air d'un sac. Même si vous avez des kilos en trop. Au contraire, le jean boy friend a le pouvoir de gommer la cellulite et les bourrelets. Mais oui ! Et si votre style vous le permet, jouez-la garçon manqué avec des derbys.

VALÉRIE D'HAUTEVILLE,
DIRECTRICE DE COMMUNICATION,
AVEC SON JEAN SEVEN RENDU CHIC
PAR UNE VESTE SOBRE ANDREW GN
ET DES BALLERINES BICOLORES.

SARAH EUSTIS, AMÉRICAINE DEVENUE
UNE VRAIE FRANÇAISE, EN JEAN 7/8
AVEC DES ESCARPINS PIERRE HARDY ET
UNE BLOUSE ISABEL MARANT.

PRISCILLA DE LAPORCADE PORTE UN
SUPERBE JEAN ROUGE ISABEL MARANT
AVEC DES BOTTINES LOUBOUTIN,
UN SAC HEIMSTONE ET UN BLOUSON
EN CUIR TROUVÉ AUX PUCES.

JULIE BOCQUENET A MARIÉ SON JEAN
PARFAITEMENT DÉLAVÉ AVEC UNE VESTE
BLANCHE DE VALENTINE GAUTHIER
ET DE JOLIS BIJOUX RAPPORTÉS
DE SES VOYAGES.

Jeudi,
LE JEAN BLANC

Oubliez l'image du jean blanc pacsé à une marinière. Il vaut bien plus que ça. Du reste, il est presque plus beau l'hiver, porté avec un cachemire gris, une tunique ethnique, des mocassins, des bottes et un trench. Rien ne lui fait peur. Il se plie à tous nos caprices et à tous les styles. Pas (trop) stretché, on le porte à tous les âges. D'ailleurs, il a un fort pouvoir rajeunissant !

Vendredi,
LE JEAN FANTAISIE

Non, le jean n'est pas que brut ou noir. Rouge vermillon, rose pâle, à rayures « Oshkosh », ciré, clouté, brodé, zébré, tagué… On a le droit de l'aimer moins conventionnel. À condition de laisser les paillettes, le tee-shirt strassé et les franges au vestiaire. On le porte sobre. On ne postule pas pour un show à Las Vegas !

Les conseils de Yaya,
pro du jean, créatrice
de la boutique
multimarque Yaya
store à Paris :

« Le jean est une pièce qui
te rend plus belle. Par exemple,
si tu veux avoir la jambe plus
longue, il t'améliorera la
silhouette mieux que n'importe
quelle autre pièce. Si tu te plais
dans un jean, même si ce n'est
pas celui qui te va le mieux,
c'est le principal.
Malheureusement, on ne peut
pas donner de conseils universels.
Bien sûr, il ne doit pas aplatir
les fesses, faire de grosses cuisses
ou serrer les mollets. L'écart des
poches à l'arrière est aussi très
important. Quel est le meilleur
écart ? Encore une fois,
ça dépend des fesses.

QUI A DIT QU'IL FALLAIT
PORTER DES TALONS AVEC
UN JEAN BOY-FRIEND ?

Le jean qui pourrait convenir à presque toutes les morphologies :
le Levis 501 des années 1980.

Mes trucs : si on veut vieillir avec, on évite les jeans bon marché — la forme
ne tiendra pas dans le temps — et les veinures « industrielles », les traces
de frottements aux mauvais endroits, c'est cheap. Mieux vaut choisir un vrai
denim 100 % coton, sans stretch (à l'intérieur, on doit voir la trame, bien
contrastée). Vous ne devez pas vous sentir serrée dedans. Exception faite pour
le slim qui se détend d'une taille. Mais si le jean n'a jamais été lavé, prenez
au contraire deux tailles au-dessus. »

Les préférés de Yaya : Levis Vintage, Edwin, Circle, Denham.

Samedi,
LA CHEMISE
EN JEAN

Elle mériterait d'être classée dans notre chapitre « À la vie, à la mode », tant elle est prête à nous faciliter la vie avec style. On préfère la décaler, c'est-à-dire la porter avec une pièce classique. L'hiver, on la porte boutonnée, glissée dans une jupe crayon ou corolle, un pantalon masculin en tweed ou prince de galles, un cuir... Dans une valise d'été, elle accompagne une robe romantique et un short.

Dimanche,
LE BLOUSON
EN JEAN

Une seule règle : le choisir étriqué, voire trop petit. Envisagez-le comme un cardigan sensuel et ultra-féminin, à porter sous une veste ou un manteau. N'hésitez pas à l'érotiser en le portant à même la peau avec des dessous en dentelle, un collier plastron, un chignon un peu défait... Même histoire avec le gilet en jean.

Le jeu des 5 erreurs :

Le too much : « moustaches », délavage excessif, clous, strass...

L'ourlet rentré à l'intérieur, par flemme : mieux vaut le roulotter ou faire des revers. Sinon, le faire coudre à l'identique.

Le lavage-décapage : le laver retourné pour éviter le délavage, à 30 °C, avec du vinaigre de vin blanc pour fixer la couleur.

Le sèche-linge qui casse la fibre.

La mini-ceinture de tailleur : préférez-lui un ceinturon de cow-boy ou une ceinture de la taille du passant.

Pour les fétichistes, un site américain propose de réparer votre jean chéri contre quelques dollars : denimtherapy.com

PRISCILLA DE LAPORCADE A CHOISI DE DÉCALER SA ROBE BALMAIN AVEC UN BLOUSON EN JEAN ET UN SAC HEIMSTONE.

Inter*view*

ODILE GILBERT,
coiffeuse de studio.

© Photo Peter Lindbergh

Existe-t-il un style français et comment le décririez-vous ?

Sans conteste. Pour moi, le style en mode est totalement lié à l'art de vivre à la française, à la culture des bons vins, de la bonne cuisine et d'une certaine qualité de vie. Je pense vraiment qu'on ne peut pas dissocier la mode française de cet héritage culturel, de cette éducation. C'est en vivant à l'étranger que j'ai réalisé combien j'étais française, au travers du regard des autres. À l'étranger, être française nous auréole d'une certaine magie. Paris, la France, sont encore dans l'esprit de beaucoup de gens des symboles de chic, d'élégance, de raffinement. Grâce à la mode bien sûr, mais c'est aussi tout notre patrimoine qui fait toujours rêver. On partage d'ailleurs cette éducation du beau et cet amour pour une qualité de vie avec les Italiens. Ce n'est pas par hasard si les défilés de haute couture ont lieu à Paris, et si tous les jeunes designers ambitionnent un jour de créer leur propre collection haute couture ! Et cet esprit « Couture » est inconsciemment dans les gènes des femmes françaises.

Comment est-elle cette femme française ?

Elle met sa personnalité en avant, elle est autonome. Parfois classique mais avec un petit « twist » dans sa tenue. Elle s'entretient moins que l'Américaine par exemple. Les Américaines sont vraiment impeccables ! Mais je pense que les Françaises ont du charme, et de la désinvolture avec leur apparence.

Les Américaines sont plus « glamour » dans le sens hollywoodien du terme, plus *red-carpet*. La femme française a du caractère, elle peut être attentive à son allure et s'occuper de politique, de cuisine, des enfants, etc. Aimer la mode et les beaux vêtements ne fait pas d'elle une femme frivole ! Ça fait partie de sa culture, de son patrimoine. Elle mise plus sur le charme que sur la perfection, plus sur la séduction que sur le tape-à-l'œil. Simone de Beauvoir était une très belle femme, avec des tenues superbes. Juliette Gréco qui était très engagée politiquement était sublime. La ravissante idiote, la blonde évaporée, c'était vraiment une invention hollywoodienne. En France, on avait Casque d'Or (Simone Signoret) qui était sublime et engagée politiquement. Je pense qu'à l'étranger il y a toujours cette image un peu rêvée de la femme française, il n'y a qu'à voir le succès d'un film comme *La Môme* dans le monde ! Il y a toujours cette image un peu stéréotypée de la Française qui, malgré tout, persiste et fait toujours fantasmer.

**Quelles sont
vos Françaises idéales ?**

J'aime énormément
Françoise Dorléac qui
n'avait aucune vanité de
sa beauté ! Elle était belle,
pleine d'humour, drôle,
désinvolte. Elle suggérait
sa sensualité plus qu'elle
ne l'étalait. Ça, c'est très
français : une certaine
pudeur. Arletty aussi
– qu'Alaïa adore – c'est
vraiment la parfaite
Française, pleine d'esprit,
élégante, extrêmement
bien habillée. Inès de la
Fressange, avec son sens
de la répartie et son chic,
est vraiment très
française. Sofia Coppola
pourrait l'être aussi.

**Et ce chic français,
cette *french touch*,
fait encore rêver ?**

Oui. Il y a un vrai
engouement pour les
créateurs français, ils
ouvrent de plus en plus de
boutiques aux États-Unis,
au Japon… Certaines
marques comme Hermès
sont vraiment devenues
des symboles du chic
français. C'est une marque
qui a une histoire, une
tradition de qualité et
de savoir-faire. D'ailleurs,
quand Victoria Beckham
ou Lady Gaga s'achètent
un Kelly, elles savent très
bien qu'elles achètent une
partie de cette histoire,
elles n'achètent pas qu'un
sac mais tout un symbole
qui va les rendre

élégantes. D'une certaine
façon, elles s'achètent une
respectabilité mode. Les
Américaines, par exemple,
consomment énormément
de vêtements ; nous, on a
l'habitude de garder ce qui
est beau, un beau sac, un
beau manteau, une belle
paire de chaussures…
On n'hésitera pas à sortir
une belle pièce Alaïa
ou Chanel d'il y a quinze
ou vingt ans, on sait ce que
cela représente.

> " *La coupe c'est super-important.
> Cela correspond à la coupe
> d'un vêtement. Il faut éviter les coupes
> dures, tranchées. Il faut garder
> une douceur, une fluidité.* "

**En coiffure, quelles sont
les fautes de goût
à éviter ?**

On évite les colorations
trois couleurs, c'est très
bas de gamme. Les
balayages ratés genre
zèbre, le violine, et en
vieillissant, il faut choisir
une couleur plus claire
d'un demi-ton. Cela
illumine le visage. Enfin,
à mon avis, à un certain
âge les cheveux blancs
c'est vraiment sublime.
Le blanc est d'ailleurs
une couleur impossible à
créer : on casse le cheveu.

Et pour la coupe ?

La coupe c'est super-
important. Cela correspond
à la coupe d'un vêtement.
Il faut éviter les coupes
dures, tranchées. Il faut
garder une douceur, une
fluidité. Pour un coiffeur,
c'est très long d'apprendre
à bien couper les cheveux,
c'est très technique. Et cette
technique, il faut savoir
l'oublier pour atteindre une
certaine légèreté. Quand on
vieillit, il ne faut pas essayer
de faire jeune, mais aller
vers l'élégance, le sobre
et le chic.

Il en connaît plus sur nous que l'amour de notre vie. On lui confie tout. Et même souvent trop de choses ! Ce n'est pas parce que c'est un fourre-tout qu'il faut le choisir à la va-vite. Le marketing en a fait « la » pièce « to have ». Sans aller jusqu'à céder à l'appel du *it-bag*, reconnaissons que c'est l'accessoire qui finit une silhouette, qui « habille »... ou détruit un look. Comme les chaussures, il a le pouvoir de donner des indications sur l'esprit et le style de la personne qui le porte : un sac en croûte de cuir, une mauvaise copie ou une copie tout court vous font dégringoler du podium de l'allure. C'est

Le sac de notre Vie

On a même le droit d'être infidèle

une faute de goût d'autant moins pardonnable qu'on trouve des modèles originaux, pleins d'esprit et moins clonés chez de jeunes créateurs talentueux (Velvetine, TL180, Campomaggi, MySuelly, Yvonne Yvonne, Tila March, La Contrie, Jamin Puech...). Sans oublier le sac vintage de maman ou de tante Simone dont le cuir risque fort d'être de meilleure qualité que celui d'aujourd'hui. Oui, ça vaut le coup d'économiser pour s'offrir un beau sac et de l'entretenir.

ANTONINE PEDDUZZI ET LUISA ORSINI,
LES CRÉATRICES DE TL 180,
AVEC LEURS PROPRES SACS AU BRAS.

De l'importance
D'UN BEAU SAC
*(et des dommages collatéraux
d'un vilain sac)*

**– Il donne de l'allure y compris en
cas de flemme vestimentaire (jean/
blouson) ou de jour strict (veste/
jupe droite).**
Attention, comme les chaussures, même
pour un œil non exercé, un sac de mauvaise facture (vilaine imitation cuir,
dorure et finitions bâclées, besace
avachie…) vous classe directement dans
la catégorie « no style » ! Autant on peut
se débrouiller pour trouver de jolis vêtements chez les grandes enseignes, autant
mieux vaut y faire l'impasse sur les sacs
à main en cuir : la grande majorité des
cuirs utilisés pour la maroquinerie
moyenne gamme sont devenus
médiocres, et on risque de croiser son
sac à chaque coin de rue. Ou alors on
le customise. Par exemple, en le taguant
au pochoir : la pièce en série devient
unique. On peut aussi choisir un sac en
tissu bien coloré, perlé ou d'inspiration
ethnique. Quant au sac du moment
dupliqué en millions d'exemplaires à travers les bus et les métros du monde,
il rend la silhouette *so boring.* Vous imaginez Sarah Jessica Parker, alias Carie
Bradshaw, avec une grossière photo-
copie ? Elle préférerait sortir avec un
petit panier en osier qu'avec le sac de
madame Tout Le Monde ! Et lorsqu'elle
a de l'argent, elle mise sur un créateur
pointu ou, en tout cas, moins connu.

CLAIRE DHELENS PORTE UN JEAN
Y3 DÉLAVÉ PAR LE TEMPS,
AVEC DES BOOTS SUPER-VINTAGE
YOHJI YAMAMOTO, UN BODY CAMEL,
UNE ÉCHARPE VÉRONIQUE LEROY,
UN BEAU MANTEAU CLASSIQUE
JAY AHR ET LE SAC CLAIRE DHELENS
POUR LE TANNEUR.

Mais même très beau, un sac ne va pas forcément avec tout. C'est une pièce plus forte qu'on ne le pense et qui peut bouleverser une silhouette s'il est mal choisi. D'où l'intérêt d'en posséder au moins trois de genres différents selon les styles de sa garde-robe, les saisons et les occasions.

– Il vieillit bien.

Mais ce n'est pas une question de *name-dropping* : la qualité n'a rien à voir avec la griffe. Ni même parfois avec le prix. Le *it-bag* qui coûte un smic n'est pas forcément garanti à vie. On en a vu certains dont les coutures ont lâché au bout de deux mois. Alors que certaines marques spécialisées et moins branchées savent fabriquer des sacs d'excellente qualité (finitions délicates et cuirs exceptionnels) dont on ne se lassera pas et qui dureront des années, même si on les abandonne quelque temps.

Alors, prenez le temps de choisir votre (vos) sac(s) !

La différence entre un it-bag et une « légende »

Tous les it-bags ne deviennent pas des légendes. La légende, elle, a su dépasser la lubie d'une saison de quelques it-stars chouchoutées. Elle a ce « je-ne-sais-quoi » d'intemporel qui lui permet de dépasser les modes.

ses caractéristiques : s'embellir en vieillissant (pas donné à tout le monde !) et aller vraiment avec tout (rare !).

ses emblèmes : le Kelly créé en 1935, toujours pas démodé, et son complice le Birkin, dessiné en 1984 par Jane herself. Plus récent, le cabas Vanessa Bruno – il s'en vend un toutes les trente minutes dans le monde – continue depuis 1990 à se décliner dans des matières et des formes différentes. Serait-ce la simplicité et l'épure qui aideraient la légende à passer les années ?

LE VRAI BEAU SAC EN CROCO VINTAGE.

MATIÈRES NATURELLES,
FINITIONS RÉALISÉES
À LA MAIN, PEAU
PASSÉE À L'EAU POUR
L'ASPECT VIEILLI,
LES SACS CAMPOMAGGI
MADE IN TOSCANE
VIEILLISSENT COMME
DES BEAUX JEANS.

Comment garder votre sac frais et dispo

Si vous le mettez de côté pendant un moment, passez l'aspirateur à l'intérieur pour éliminer la poussière, les moutons, les miettes du goûter des enfants, les vieux papiers de bonbons, les tickets de bus et de cinéma... S'il est précieux et que vous voulez le garder en bon état, remplissez-le de papier de soie ou de tissu, il ne se déformera pas. Même réflexe lorsque vous partez en voyage : pour ne pas le sortir de votre valise écrasé comme un ballon de plage en manque d'air, bourrez-le avec vos chaussettes ou vos pulls. Il gardera son galbe. Dans votre dressing, rangez-le dans le pochon en tissu fourni par la marque au moment de l'achat. Si vous n'en avez pas, évitez de le glisser dans du plastique, il risque d'étouffer et de craqueler, alors que le tissu et le papier le laisseront respirer. Quand vous le ressortirez, offrez-lui une cure de jeunesse en le massant avec un lait hydratant ou une crème pour le cuir.

LE SAC ETHNIQUE-CHIC
DE CHEZ YAYA STORE.

UN MERVEILLEUX SAC À MAIN
JAUNE DE DAME MYSUELLY.

Inter*view*

**MARION LALANNE
ET PIERRE-ALEXIS HERMET,**
créateurs d'IRM Design.

La *french touch* a-t-elle encore un sens ?
Les grandes chaînes de vêtements nous submergent tellement que nos yeux finissent par être happés. Mais après tout, personne ne nous oblige à ingurgiter cette mode de masse. Pour nous, le chic à la française, ce sont quelques-unes de nos amies, aux cheveux pas coiffés et pas toujours très propres mais élégantes malgré tout. Ce côté à la fois débraillé et épuré est

très français. Mais attention, en France, on reste dans certaines limites. Par exemple, même si on a intégré les collants déchirés, on préfère que les Françaises s'abstiennent. On ne leur conseille pas non plus de montrer en même temps leurs jambes et leurs seins. Ça ne se fait pas. Ces limites codifiées du chic français nous dérangent.

mais ridicule. C'est pour éviter ce genre de réactions que l'on finit par rentrer dans le moule gris, noir, blanc. C'est vrai, il y a des jours où l'on est plus sensible et où l'on a besoin d'être tranquille : on sait quel genre de vêtement porter pour passer inaperçue, c'est facile ! Mais quand je me sens forte, je me maquille pour que ça se voie et je n'ai pas peur d'oser des pièces qui sortent du lot. Il faut faire l'effort de choquer un peu !

Qui est « votre » Française chic ?
On serait tenté de dire Inès de la Fressange, mais elle est tellement commercialisée et marketée qu'elle ne nous donne plus envie. En plus, nous avons 22 ans, elle fait partie d'une autre génération qui est derrière

> 66 *Pour nous, le chic à la française, ce sont quelques-unes de nos amies, aux cheveux pas coiffés mais élégantes malgré tout.* 99

Vous avez l'impression que vous ne pouvez pas vous habiller comme vous le souhaiteriez ?
Si je sors avec des vêtements multicolores, les gens dans la rue ne vont pas trouver ça marrant

nous. Charlotte Gainsbourg, avec son physique androgyne, pas toujours belle ni bien coiffée, nous inspire davantage. Comme Diane Krüger, à la fois chic et naturelle, qui prouve que les étrangères représentent parfois mieux la Française que les Françaises elles-mêmes.

Vos créations s'affranchissent-elles des tendances ?

On évite de les suivre mais on ne peut pas s'empêcher d'être imprégnés par l'air du temps. Par exemple, avec la vague du sarouel, on ne pouvait pas imaginer autre chose qu'un pantalon avec une fourche descendue. On s'inspire aussi des tendances générationnelles. Cette silhouette « pantalon très simple / tee-shirt / veste de tailleur » qui perdure depuis des années nous parle. D'où nos silhouettes créées à partir d'une veste. Pour nous, c'est la pièce la plus forte d'une garde-robe. On trouve facilement sa taille, elle ne se démode pas et c'est une base pour composer des tenues différentes.

Quelle est votre pièce rédhibitoire ?

Pour moi, aucune. Tout dépend de la façon dont on l'interprète. Même une robe décolletée devant et derrière peut être acceptable si on la porte avec un pantalon et une veste. Pour Pierre-Alexis, à partir de 50 ans, il faut se couvrir. Plus de minijupe, ni de bikini sur la plage. De toute façon, il n'aime pas les mini.

Comment est venue l'idée de votre sac-mitaine ?

Contrairement à de nombreuses femmes, j'ai horreur des « valises », je trouve ça ridicule de trimballer toute sa vie. En plus, un sac disproportionné grignote la silhouette. Je préfère ne pas en porter. On a réfléchi le nôtre à partir de ce constat et créé la pochette de jour. Je l'emmène partout avec moi, je la trouve très facile.

LA POCHETTE IRM DESIGN, SUPER-MALIGNE, PUISQU'ON PEUT Y GLISSER LA MAIN POUR BIEN L'AGRIPPER.

Que veut dire « made in France » ?

Fabriquer en France. Mais c'est cher et difficile. Les usines se raréfient et ne veulent pas travailler pour des petites quantités. En plus, beaucoup d'artisans sont frileux : nous ne sommes pas encore très connus, donc on ne nous répond pas toujours. C'est très compliqué. À l'inverse, la Chine a très envie de bosser, c'est rapide et pas cher ! Mais nous résistons. Pour notre conscience, c'est mieux. Même si on est jeune, on se doit d'être militant. Créer en France et acheter français, c'est faire acte de militantisme.

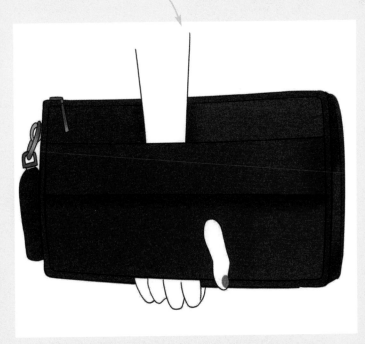

La petite
Robe noire

Au fait, est-elle incontournable ?

On dit qu'elle est le joker de toute penderie qui se respecte. Elle a la réputation d'aller à toutes les morphologies, de s'adapter à toutes les situations, d'être intemporelle... Longtemps réservée aux bonnes, aux pensionnaires et aux veuves, la petite robe noire devient LE symbole du raffinement parisien en 1926 grâce à Chanel. Tous les magazines nous la prescrivent comme remède aux pannes de penderie. C'est vrai en théorie, en pratique c'est plus complexe...

MICHELLE BOOR PORTE UNE ROBE SIMPLISSIME AESCHNE ET SON INTEMPOREL SAC BIRKIN HERMÈS !

VIVIFIEZ-LA

Mal accompagnée, la petite robe noire si raffinée et si parisienne peut vite faire « veuve inconsolable suivant le corbillard » ou chanteuse réaliste d'avant-guerre (et n'est pas la Môme Piaf qui veut). Il faut l'illuminer, la personnaliser. Un beau rouge à lèvres, un teint parfait et de bons collants (surtout pas de collants voile « écorchés » !), c'est le minimum syndical. Les chaussures et le sac positionneront la robe : soir ou journée, chic ou décontractée, conventionnelle ou délurée !

ACCESSOIRISEZ-LA

La même robe portée jambes nues sur des ballerines racontera une autre histoire accompagnée de talons et de multiples sautoirs.
C'est dire qu'avec elle, les accessoires ne font pas de la figuration : ils ont le premier rôle. Le noir théâtralise et met en valeur, donc pensez-y en les choisissant. Que vous aimiez le sobre ou l'extravagant, les vraies pierres ou les bijoux fantaisie, soyez exigeante !

Attention, tout se voit sur une robe noire ! Veillez à ce qu'aucun cheveu ni aucune poussière, aucune tache ou auréole ne vienne ternir la belle image dont vous rêvez.

Et la petite robe rouge ?

DAUPHINE DE JERPHANION, SCULPTURALE, EN ALEXANDRE VAUTHIER.

MARILYN FELTZ, EN ROBE NOIRE VINTAGE, SOUS UN PERFECTO VÉRONIQUE LEROY ET CHAUSSÉE D'ESCARPINS LOUBOUTIN PANTHÈRE, HISTOIRE D'ÉGAYER TOUT ÇA !

Que des classiques,
du noir et un « Burb » !

SONIA LEZINSKA,
COMÉDIENNE, SA ROBE
ET SON BOLÉRO PAULE KA,
SES ESCARPINS SERGIO ROSSI.

Inter*view*

**ALEXANDRE
VAUTHIER,**
couturier.

© Photo Jean-Baptiste Mondino

la nuit. Porter une robe rouge véhicule un autre message : le rouge c'est la couleur de la violence, de la passion, de l'enfer, de l'amour, du sexe, du sang, c'est le feu sous la glace ! D'ailleurs, on agite un chiffon rouge devant les taureaux dans les corridas. Avec le rouge baiser, il a pris une dimension plus « couture » ; une bourgeoise en robe rouge a une dimension plus sexuelle et plus charnelle qu'en robe noire.

La petite robe noire, mythe ou réalité ?

Je crois qu'il y a tout un discours sur la petite robe noire, elle fait partie des codes établis de l'élégance. Avec le blanc, l'or et le noir, elle représente Paris. Même si parfois elle lasse, on y revient toujours, car elle est évidente d'équilibre. Le noir c'est presque un uniforme, il cache et ne laisse apparaître que ce qui doit être vu. Il est protecteur, n'agresse pas l'œil, il se fond dans le paysage urbain et dans

La Française est-elle toujours un modèle à suivre ?

Je suis Français, alors je travaille sur une Française, et même si la mode s'est internationalisée, la Française représente toujours dans l'inconscient collectif l'élégance, le chic et le bon goût. Elle a une désinvolture, une classe citadine unique. La New-Yorkaise chic est plus conventionnelle. La Française osera davantage les mélanges, les audaces,

les ruptures de style ! Ce n'est pas par hasard si la collection New Look de Dior a tellement séduit les Américaines en 1950 : c'était une image très conventionnelle de la femme, avec ce retour au corset et au jupon ! Dans ce monde qui devient homogène, il y a un désir très fort d'identification et de se démarquer par ce qui caractérise l'allure et l'esprit français : les terrasses de café, un art de vivre, un savoir-faire. La France est un pays où l'on crée et produit depuis des générations des parfums, de la joaillerie, du foie gras, du champagne, des vins. On a toute une tradition derrière nous, des racines, un ADN. L'avenue Montaigne est le symbole de la couture dans le monde et c'est une adresse parisienne ! La Française est comme Paris : elle est chic, mais elle peut s'encanailler ! Elle joue sur cet équilibre, elle est taquine et élégante. Elle a de l'humour, elle sait décaler les choses, les « twister », et c'est normal que la petite robe noire soit une convention née en France : d'un bout de tissu noir s'est dégagée une allure – une robe intemporelle qui se porte le jour comme le soir. Elle est devenue le symbole d'une certaine modernité. On peut la sophistiquer ou la porter épurée.

Il faut être en adéquation avec son produit. Je crois que ce que je crée a ses racines en France ; les femmes qui s'habillent chez moi, Rihanna, Beyonce, Alicia Keys, et toutes les autres, viennent aussi pour cette « allure » française.

Le vêtement est-il un masque ou un révélateur ?

Chaque femme s'habille pour une raison différente. Certaines s'habillent pour séduire, d'autres pour se rendre fortes. Le vêtement souligne et propose un style. Le vêtement est un langage, presque un moyen d'expression pour celle qui le porte. Je donne des moyens aux femmes de s'exprimer. Mes robes sont des révélateurs et il ne faut pas que la femme s'efface derrière le designer.

Que vous inspire la mode aujourd'hui ?

Je pense que notre époque est perdue. Les gens oublient le fondamental, aujourd'hui, la mode est un modèle de business. Les comportements d'achat ont complètement changé. Pour beaucoup de maisons, le luxe est devenu un luxe de masse. Les vêtements sont devenus un produit marketé, or le marketing sans cellule créative, c'est comme une maison sans mur.

Vous fabriquez en France ?

Oui, car la France c'est mon histoire, et il y a de la vie pour un produit luxueux made in France. Avec le made in France on achète une image, une histoire, une identité. Vous ne portez pas une veste éditée à 4 millions d'exemplaires de la même manière qu'une veste faite en série limitée. Aujourd'hui on s'ennuie, tout est devenu pareil. Avant, l'été était court et bleu, et l'hiver long et marron ! Aujourd'hui, tout est possible et tout le monde propose la même chose, car tout est marketé de la même manière. Regardez dans la gastronomie, toutes ces émissions de télévision qui mettent en avant

le consommateur est influençable, mais les femmes sont en train de prendre conscience qu'on les manipule et de cela va découler une nouvelle manière de consommer. On a envie de choses plus exclusives, de se retrouver, de ne pas être noyé dans la masse. On est dans une période transitoire, je ne sais pas vers où on va mais quelque chose est en train de se passer !

Quel conseil donneriez-vous aux femmes ?

Soyez curieuse et exigeante sur la qualité des vêtements et objets que vous achetez, car vous allez vivre avec ! Quand on achète, il faut savoir faire la différence entre du travail bien fait et du travail bâclé. C'est comme pour

> 66 *Le vêtement est un langage, presque un moyen d'expression pour celle qui le porte.* 99

des « chefs », c'est le résultat de vingt années de malbouffe ; la même chose va se produire dans la mode ! En 1960, le prêt-à-porter est apparu et a cassé le modèle du luxe et de la couture. Or on est arrivé à saturation d'un certain modèle et quelque chose de nouveau va apparaître. On nous oriente vers certains courants,

la construction d'une maison : vous voulez du placo qui ne tiendra pas ou de belles fondations ? Arrivez dans une soirée avec quelque chose d'exceptionnel, et on se souviendra de vous pendant dix ans ! Il vaut mieux être associé à quelque chose de qualité.

Bienvenue à
Bourgeland

Passer de madame Lequesnoy
à Belle de Jour sans bobo

Le pari de la néobourgeoise : respecter les codes classiques sans être guindée, ni désuète ou ennuyeuse. Dans la garde-robe de la BCBG canal historique, il y a pourtant des pièces sublimes mais qui, additionnées les unes aux autres, s'éteignent. C'est leur association presque scolaire qui rend la silhouette tarte. Il faut les détourner du droit chemin, les porter à bon escient et bien les associer. Oui, les pièces bourgeoises donnent du chien. Elles peuvent même être ultra-sexy : ce n'est pas pour rien si le photographe Helmut Newton, le cinéaste Claude Chabrol ou les collections hiver 2011-2012 ont érotisé les codes de la bourgeoisie.

Rattrapage
DIFFICILE

– Les boucles d'oreilles plaqué or en (vraie ou fausse) nacre. Elles peuvent être ravissantes si elles sont vintage et non pas s'il s'agit de « fausse nacre véritable » et de métal doré style cadeau d'un VPCiste. Et si elles sont portées pour accompagner un style « bourgeoise américaine des années 1950 ». Mais le côté « je garde mes boucles d'oreilles de famille » avec mon jean et mon brushing, on vous dit non.

– Le chouchou en velours. Difficile de lui trouver une excuse. C'est moche, c'est comme ça et c'est non négociable. On ne revient pas là-dessus.

– La jupe tailleur fendue. Si l'ourlet est placé trop au-dessus du genou, on focalise sur cette partie du corps rarement jolie et souvent grassouillette. Ce n'est pas pour rien si Gabrielle Chanel trouvait qu'une femme ne devait jamais montrer ses genoux. Ça coupe la silhouette. On préfère un ourlet juste à la naissance du genou.

– Le pantalon trois quarts avec cordons de serrage et poches sur les cuisses. Soit vous êtes en trekking – dans ce cas, il a sa place dans votre sac à dos –, soit vous êtes en ville et là, vous retournez vous changer. Ce pantalon doit rester à sa place : au rayon « randonnée » où personne ne vous tiendra rigueur de porter une pièce qui vous grossit les cuisses et vous rapetisse. Si vous aimez les pantalons « sport » avec des poches, choisissez un vrai pantalon militaire ou de peintre à porter avec des sandales ou des ballerines.

– Les escarpins et les ballerines avec une vilaine échancrure. Avec ce type de chaussures, si le pied est trop couvert, on a l'impression que la jambe est coupée ; ça tasse et vieillit la silhouette. En plus, les modèles couvrants sont souvent « mémères ».

– Le pantalon large à l'ourlet trop court. S'il a été prévu pour être porté avec du plat, vous ne pourrez pas le sortir les jours de talons. Les seuls modèles qui supportent d'instinct le feu de plancher sont le slim et les pantalons serrés dans le bas. Si vous voulez porter votre pantalon large avec des talons, roulottez-le juste au-dessus de la cheville pour un vrai effet de style.

– Le pantacourt pastel. Et tous les bermudas larges ! Ces deux vilains cassent la silhouette et votre réputation. Est-ce vraiment une priorité pour vous de ressembler à Muriel Robin dans *Les Visiteurs* ?

La barrette Hairdesign Access, qui rend élégante la plus banale queue de cheval.

LA TOUCHE DÉCALÉE EST
DANS L'AMONCELLEMENT
DES BIJOUX CHOISIS
PAR DAUPHINE
DE JERPHANION POUR
DONNER DE L'AUDACE
À CETTE VESTE UN PEU
SAGE D'ISABEL MARANT.
BIJOUX ALEXANDRE
VAUTHIER, RAPIA
ET BOSSA, MARNI,
AURÉLIE BIDERMANN.

– Le jupon en nappe provençale.
C'est ravissant l'été, dans le sud de la France, en nappe et en serviettes.

– La veste matelassée. C'est épatant en automne, en Sologne, avec deux labradors noirs. Et ça tient tellement chaud ! C'est incontournable au festival de Glastonbury avec des bottes de pluie boueuses, un mini-short effrangé en jean et un beau rocker au bras.

– Le polo. C'est l'emblème de la tribu « preppy », ou collège, qui le porte étriqué avec, pour les jeunes hommes, un pantalon feu de plancher et, pour les filles, une jupe plissée, un blazer et des mini-derbys. On préfère le leur laisser ! Quant à sa copine, la robe polo, elle adore le Cap-Ferret.

– Les mocassins à brides dorées.
Si on a le modèle d'origine, ça marche. Et encore, pas portés premier degré mais plus trash, comme un top-modèle nonchalant qui les aurait trouvés dans le grenier de Bianca Jagger.

– Les chaussures bateau en ville avec des chaussettes. On leur présente le pantacourt pastel, on les met dans une pièce, on ferme la porte et on jette la clé. Si vous les aimez vraiment, portez les authentiques (Tods, Gucci…) pieds nus. Ou optez pour des mocassins ou des espadrilles ! Bien sûr, si on a un vrai instinct de mode, on peut toujours

réussir à détourner ces pièces. Une Kate Moss réussirait même à nous les faire aimer en bloc ! Pensez aussi à votre coiffure : un brushing tartignolle ne leur laisse aucune chance. Mieux vaut un vrai chignon de danseuse, un chignon banane décoiffé ou une belle coupe courte à la Jean Seberg.

ESCARPIN AU TALON INCRUSTÉ DE PIERRES DOLCE&GABBANA.

On aime les socquettes portées avec les souliers Prada et ce tailleur très masculin et strict ! Au poignet une montre d'homme.

ESCARPIN LOUBOUTIN.

En PROGRESSION

– **Le pull V et le cardigan en cachemire.** On les veut sexy, portés à même la peau comme les bourgeoises germanopratines.

– **Le collier de perles.** On le porte avec excès sur une veste d'homme (comme l'a initié Mademoiselle Chanel).

– **Le blazer bleu marine.** On le « MarleneDietriche » avec une chemise d'homme et une cravate ou on lui associe un grand short en jean. On peut même le ceinturer avec un ceinturon brut pour lui donner un côté sauvage.

– **Le barbour.** On lui interdit le pantacourt et on lui donne une touche *rock farmer* avec un slim en cuir et des grosses boots.

– **Les mocassins américains.** On les adore pieds nus avec un chino trop court ou de jolies socquettes.

– **La chemise lavallière en soie.** On la porte avec un jean flare à la Diane Krüger.

– **La chemise en liberty.** On l'arbore comme Mike Jagger dans les seventies, avec un slim en couleur ou un pantalon étriqué à rayures. Ou comme Valérie Lemercier adepte du liberty sous toutes ses formes.

MARIE-LAURE
MERCADAL, CRÉATRICE
D'ATELIER MERCADAL,
EN CHEMISE LIBERTY.
ELLE S'EN EST FAIT
FAIRE PLUSIEURS
ET LES PORTE
EXCLUSIVEMENT AVEC
UN CHINO OU DES JEANS.

PATRICIA CHELIN, ATTACHÉE
DE PRESSE, PORTE UN SUPERBE
MANTEAU NOIR (NO) SMOKING
COLLECTION, QU' ELLE ÉGAIE
AVEC DES BABIES TALONS CHIE
MIHARA, UN SAC EN CUIR ROUGE
VELVETINE ET UN COLLIER
SANDRINE DE MONTARD.

Les égéries : Jackie Kennedy, Betty Catroux, Françoise Sagan, Stéphane Audran, Françoise Fabian, Fanny Ardant, Inès de la Fressange, Valérie Lemercier, Vanessa Seward, Anna Mouglalis.

On fait souvent très attention aux grosses pièces, à sa coiffure ou à son make-up et on oublie le petit truc qui va détruire l'harmonie de l'ensemble.

ATTENTION !

– Les collants qui mémèrisent

Aaah le voile… Il ne pardonne aucun accroc, ni fil tiré : il doit toujours avoir l'air de sortir de sa boîte. Dans sa version chair, un impératif : l'invisibilité. On doit penser que vous êtes jambes nues, sinon c'est vieillot. Ou alors, si vous l'aimez légèrement brillant, pensez à Catherine Deneuve dans *Belle de Jour* et vous avez la seule manière de le porter, c'est-à-dire à la *Mad Men* avec des escarpins et une petite robe sixties. Sinon, les collants voile couleur chair, associés à une jupe droite juste au-dessus du genou, vous donnent l'air d'une hôtesse d'accueil. Avec un short

en jean et des bottes, c'est juste vulgaire. Avec une doudoune ou des moon-boots, on vous envoie la police du style. Avec des sandales ouvertes, on fait semblant de ne pas vous reconnaître si on vous croise dans la rue. Si vous devez en porter, pensez au moins à les choisir dans une couleur proche de votre carnation et surtout pas trop irisée. Quant au voile noir, on vous le conseille dans trois cas : vous êtes religieuse et vous le portez avec des sandales ; vous êtes la cousine de Courtney Love et vous l'avez lacéré ; vous êtes directrice d'école à quelques mois de la retraite. On l'accepte sur Dita Von Teese, c'est-à-dire en surjouant la féminité et la sophistication.
Le collant mousse : ah bon, ça existe encore ce truc ?

– Les bijoux à côté de la plaque

Comme l'ampoule nue de l'entrée qui attend en vain son abat-jour, il y a des choses qu'on ne remarque plus, qu'on porte par habitude, mais que les autres repèrent au premier coup d'œil. Les petits médaillons-prénoms, souvenir de la naissance des enfants, attachés à une cordelette ; le pendentif zodiaque ; la bague vieillotte de la tante Marthe ; le bracelet « design » en plastique cheap ; la montre-logo à l'effigie de sa boîte… oubliez ! Ils font descendre le style à toute vitesse.

Inter*view*

DAUPHINE DE JERPHANION,
styliste Accessoires
Femme & Beauté au Bon Marché, Paris.

Pour vous, qui représente le *french style* ?

Des personnalités, d'ailleurs pas forcément d'origine française, telles que Loulou de la Falaise, Betty Catroux et, plus récemment, Olympia Le Tan. Toutes ont ce côté intemporel, pas « démodable », qui n'existe pas dans d'autres capitales. Les égéries de Saint-Germain-des-Prés, du cinéma français des années 1960, des années Palace continuent aussi à nous inspirer. Au-delà de la mode, il y a les attitudes et la gestuelle : Brigitte Bardot, chic et pas ampoulée, descendant d'un avion en manteau de fourrure et ballerines… La voix de Françoise Dorléac, la guêpière d'Anouck Aimée dans le film *Lola*, le culot de Jeanne Moreau, l'énergie de Juliette Gréco, la force de Grace Jones, la grâce de Marisa Berenson… Ces femmes libérées et extrêmement féminines sont toujours les porte-drapeaux du style français. Elles ne se démodent pas.

Tout comme la silhouette « trench, carré Hermès, marinière et Repetto »…

Oui parce que l'élégance facile nous intéresse plus que le bling-bling. Nous sommes davantage attachées au savoir-faire qu'à la tendance. Nous avons grandi avec la notion de couture et de qualité. Bien avant la mode du vintage, les Françaises aimaient récupérer les jolies pièces des grands-mères, des mères, aller fouiller dans les greniers… Nous avons le don de réinterpréter l'ancien avec des pièces actuelles. C'est une des raisons pour lesquelles Isabel Marant marche si bien : on porte toujours les vêtements de ses débuts, ils ne sont pas datés. Ce qui est beau reste beau. Ce n'est pas la marque qui fait l'élégance mais la pièce et ce qu'on en fait.

L'élégance, ça s'apprend ?

Il faut commencer par s'occuper de soi, être clean, faire un bon nettoyage de peau, avoir les ongles vernis, ne pas se surmaquiller… Ensuite, il faut apprendre à se connaître. Si on essaye d'être le plagiat de quelqu'un, de copier un style ou d'être ce qu'on n'est pas, on risque le fiasco. Il faut être sincère. C'est une histoire de conviction. On peut se tromper, se rater… Ce n'est pas grave. Pour trouver sa personnalité, on passe forcément par des petits plantages.

La faute de goût n'existerait pas ?

Je ne revendique pas le « less is more », mais si on n'est pas sûre de soi, ce n'est pas la peine d'en faire trop. Par exemple, la mauvaise manipulation des couleurs est très risquée. Comme les talons trop hauts et les mauvaises cambrures. Si on ne sait pas marcher, c'est affreux. Je passe sur les cheveux avec des mèches de couleurs mélangées, très « salon mondial de la coiffure » ; les collants de couleur mal assortis ; la maille molle, ni serrée, ni lâche qui, avec l'électricité statique, souligne le bourrelet ; l'association jupe courte, décolleté et talons, rarement gracieuse…

D'où le succès de la petite robe noire !

Elle évite les catastrophes. Surtout les jours de grande dépression… Si on vient de se faire plaquer par téléphone et qu'on se heurte à un problème au bureau, c'est un excellent pansement. Mais attention, il y a Petite Robe Noire et Petite Robe Noire ! Il est indispensable de la choisir en fonction de sa morphologie, ni trop moulante, ni trop courte, ni trop décolletée…

Par ailleurs, évitons d'en faire un uniforme. Varions les plaisirs ! Et surtout, n'oublions pas de l'accompagner et de l'interpréter. Si on ne veut pas ressembler à une veuve, on doit se maquiller, se coiffer, porter de jolies chaussures et des accessoires. Un jour, on l'associera à des collants de couleur. Une autre fois, on la mariera à un perfecto. La PRN est une valeur sûre qui exige un minimum de travail !

À quel âge doit-on jouer de prudence avec la mode ?

À partir du moment où l'on s'entretient et où l'on a trouvé son style, on peut presque tout se permettre. Bien sûr, le bleu nacré irisé

Quelles sont les pièces indispensables d'une garde-robe ?

Des pièces intemporelles que l'on prend plaisir à ressortir régulièrement :
– un joli sac, pas forcément un *it-bag*, avec un certain confort, pas trop lourd, avec des chaînes qui ne glissent pas, bien conçu
– des boots plates
– des escarpins ni trop hauts ni trop plats
– un carré de soie
– des créoles petites ou larges
– un trench
– des ballerines esprit BB de Repetto
– une *wrap dress* Diane Von Furstenberg.

> 66 *À partir du moment où l'on s'entretient et où l'on a trouvé son style, on peut presque tout se permettre.* 99

sur les yeux, passé 15 ans, c'est difficile ! Comme les guêtres de danseuse. Surtout sur un mollet grassouillet. Il faut juste éviter la caricature, se connaître et être sincère avec sa personnalité.

Et un maximum d'accessoires parce qu'ils ont le chic pour renouveler une garde-robe, la remoderniser, la reraconter… Sans eux, une penderie serait bien ennuyeuse.

Piquer dans la Penderie

Jusqu'où piquer dans le vestiaire des autres

On s'est toujours amusé à piller la penderie des hommes. À l'époque, c'était rebelle. Aujourd'hui, c'est banal. La garde-robe n'est plus cloisonnée, du moins pas de la même façon ; on pioche partout, chez les ados, dans les vêtements professionnels, sportifs, militaires… Le choix est vaste. Piquer dans le vestiaire des autres permet de se différencier : il faut de l'imagination pour porter un vêtement détourné. Il n'est pas prêt à consommer comme ceux qui nous sont proposés en boutique. Il n'y a pas de référence. À chacune d'inventer la manière de le sublimer. Voici ceux pour lesquels on a le béguin.

À COMMENCER PAR
UN CHAPEAU D'HOMME DÉNICHÉ
CHEZ New York Hat Co.

La penderie de votre
GRAND-PÈRE

C'est fou comme on en déniche des trésors enfouis dans les placards de nos mères et de nos grands mères. Du vintage à portée de main. D'autant qu'avant la production de masse, les matières et les finitions étaient très souvent de bien meilleure qualité qu'aujourd'hui. Encore faut-il que votre mamie soit prêteuse et que sa penderie vous plaise !

LES FAMEUX SOULIERS CHURCH'S CLOUTÉS.

La chemise lavallière

Revenue récemment sur le devant de la scène mode, elle a ses adeptes qui préfèrent la porter, non pas façon « femme de président de la Vᵉ République » mais, décolletée ou non, avec un jean brut et un petit cuir. Elles ont bien compris le pouvoir sensuel de cette pièce intemporelle.

Les manteaux

On rêve devant les imprimés et les coupes de certains modèles des années 1960-1970, avec leurs manches trois quarts, leurs jolis boutons en bakélite et leurs petits cols ronds. Vérifiez si la taille est adaptée à la vôtre : les épaules tombantes ou un ourlet trop long font descendre le niveau. Après, ça peut valoir le coup de trouver un bon retoucheur. Bonne pioche aussi pour les vestes d'époque.

Les sacs

On connaît des chanceuses qui ont récupéré des sacs ou des pochettes de grande marque dans la garde-robe d'une grand-mère élégante et généreuse. Ce n'est pas une raison pour bouder les modèles sixties en croco ou en cuir patiné ou même les pochettes en véritable skaï des années 1970, pop et joyeux.

VOL DE PENDERIE !
PANTALON
D'HOMME GAP
ET CHAUSSONS
DE DANSE REPETTO.

Les foulards

Même si les friperies en proposent des bacs entiers, ne perdez pas la tête devant une copie en véritable polyester. Attardez-vous sur le petit carré de soie qui viendra illuminer une veste de travail ou sur le grand foulard imprimé que vous pourrez nouer négligemment autour du cou façon chèche.

On aime aussi : les ceintures un peu kitsch des seventies, les chemises liberty Swinging London, les beaux escarpins années 1980…

La penderie des GARÇONS

Même si on aimerait bien, on n'est pas obligé de se faire confectionner ses costumes sur mesure chez les meilleurs tailleurs de Savile Row comme Bianca Jagger.
Si l'homme n'a pas la carrure d'un rugbyman, on tend le bras vers l'armoire. Tout est détournable.

Le gilet

C'est le numéro trois du fameux costume trois-pièces. Marlene Dietrich le portait comme un homme en fumant le cigare. Dans *Annie Hall*, Diane Keaton le revisite. Depuis quelques années, Kate Moss l'élève au rang de pièces rock. Bien ajusté, avec une chemise à carreaux ou à fleurs et un pantalon masculin ; sur la peau nue et dorée, en été ; sur un jupon romantique ; avec un slim et un tee-shirt ou un pull fin… Il se conjugue à tous les tempos. Piquez-le à votre mec ou à votre banquier. Ou achetez-le cinq euros en friperie.

Le short en jean

Si on le prend aux hommes, c'est parce qu'il est XL comme il faut (à moins d'être une jeune bombe, on peut

CINDY SEMHOUN,
ILLUSTRATRICE ET CRÉATRICE
DU BLOG MLLE MOUN'S,
PORTE UNE VESTE ZARA
DU RAYON HOMME POUR
ENCANAILLER SA JUPE
ROMANTIQUE.

difficilement porter le short en jean étriqué). Le boy friend short va à tout le monde. Même aux silhouettes généreuses. Même l'hiver avec des gros collants de laine, une veste en tweed et des derbys, des boots à talons, des godillots ou des cavalières (plus que des cuissardes à bout pointu !). À la chaude saison, on le porte avec une blouse ethnique ou une chemise d'homme (plus qu'avec un top à bretelles en stretch !), des tropéziennes ou des Minnetonka. On a le droit au délavé, effrangé, effilé ? Oui, si on assume. Oui, si on n'en rajoute pas. Oui, au bras de Vincent Biolay plutôt qu'à celui d'Enrique Iglesias !

Le pull col V

Comme Rose-Marie Mc Grota, la top pulpeuse du *ELLE* des années 1980, on continue à l'aimer bien long et large avec un jean étroit et des escarpins. Ou sur un legging en cuir. On peut aussi le ceinturer si on l'associe à une jupe crayon par exemple. Ou le rentrer à l'intérieur d'une jupe.

La cravate

On la préfère en foulard : on la noue deux fois au-dessus d'une chemise boutonnée jusqu'au col et on la rentre à

l'intérieur. Elle est aussi très jolie portée en ceinture comme Fred Astaire. L'idée : la chiner ou récupérer un stock de votre grand-père plutôt que celles de votre beau-frère avec des Bart Simpson imprimés dessus.

Et aussi : la chemise blanche, la chemise de bûcheron, le jean, le pyjama, le chino, les derbys et les godillots (si on fait du 39 ou plus)… on prend tout.

LOUISE HAYAT,
ÉTUDIANTE,
A EMPRUNTÉ
UNE JUPE CHANEL
ET UN SAC DIOR
À SA GRAND-MÈRE
ET LA VESTE
DE COLLÉGIEN
DE SON PETIT
FRÈRE.

La veste

Elle peut supporter d'être un tout petit peu trop grande (pas format tente de camping) : on l'aime bohème, ouverte, sur une robe fluide en coton ou en mousseline de soie. Plus ajustée, elle donne de la force à une jupe en organza ou du tonus à un jean. Si vous trouvez qu'elle alourdit la silhouette, sanglez-vous la taille avec un cordon en cuir naturel ou un ceinturon de garçon.

Ou comment donner du style à un pantalon noir un peu classique avec une cravate.

Qui aurait oser marier une jupe Orla Kiely en organza de soie avec des Doc Martens ?

La penderie
DES ADOS

C'est plus délicat : on a vite fait de basculer dans le côté vieille petite fille. On les porte par touches et surtout pas de la même façon que les teens. Sinon, c'est aussi pathétique que les petites filles des concours de beauté qui singent les adultes avec leurs maquillages grossiers et leurs chaussures à talons.

Des Creepers from London.

Le sweat à capuche

Pas sur un jean mais sous une veste ou un trench [comprendre : il faut le porter comme une femme].

La jupe en jean

Sûrement pas avec des collants voile et des escarpins ou des bottes. L'été seulement. Avec un débardeur, une tunique et des sandales plates.

Le tee-shirt à motifs

Pas avec un jean destroy et des bottes à clous. Avec une veste élégante, un beau cuir et un jean brut. Et sûrement pas rose avec un motif idiot (Mickey, Hello Kitty ou Superman avec des strass).

Le col Claudine

Il a fait les beaux jours de l'hiver et du printemps 2012. Passera-t-il la fin de l'année ? Pas sûr. En tout cas, on le préfère dans une version sophistiquée très luxe – comme le font certains créateurs – que dans un esprit « Malheurs de Sophie ».

Les Doc Martens

Beaucoup de jeunes – et pas si jeunes – femmes continuent à adorer ces chaussures d'ouvriers anglais repêchées dans les années 1970 par les punks. On vous conseille de ne pas les mixer à un total look noir, mais plutôt à une tenue très féminine. Même raisonnement fashion avec les Creepers.

Les sneakers funky

C'est joli avec un tregging en cuir ou un beau slim, c'est grotesque sur un pantalon trop sport ou bariolé : gros risque de ressembler à un footballeur milliardaire qui sort de l'entraînement.

La penderie
PROFESSIONNELLE

Surtout du pas trop neuf, mais de l'usé et du patiné. On customise, on teint, on ceinture, bref, on ne porte surtout pas au premier degré.

Le pantalon de métier

Je demande le blanc du peintre, le bleu du pêcheur, les petits carreaux du boucher et la combinaison du pompiste – déjà photographiée dans une série mode de Nicole Crassat du *ELLE* en 1975. En plus, ce sont des miniprix, ils sont archi-costauds et indémodables. On les trouve dans les magasins pros ou sur le net pour une dizaine d'euros. Bien larges, tachés ou immaculés, peinturlurés, roulottés, ces vêtements sont parfaits pour accompagner des sandales hautes ou des derbys. On veut aussi le pantalon de gardian, bien ajusté, chic d'emblée.

L'univers du cavalier

La culotte, la veste, les bottes, les boots, les gants… tout est quasi bon dans l'équitation. Sauf arboré le même jour.

BLANC DE BLANC !
PANTALON DE PEINTRE
ET PULL BA&SH.

LE VRAI PANTALON ARMY
RHABILLÉ PAR UN BUSTIER
CHANEL ET DES BOOTS
SONIA RYKIEL.

L'uniforme du petit rat

Le cache-cœur, le collant sans pied, le body, les ballerines, les chaussures de tango, les jambières pour traîner à la maison, le jupon en tulle à assortir avec des motardes pour sortir… on dit oui !

On évitera le short en satin du footballeur, le polo de rugby, la chaussette de tennis en ville… Quant à la tenue d'infirmière et au tablier de soubrette, on les réserve à un autre registre.

Les vêtements de l'armée

On est habitué à voir des cabans, des marinières et des vestes kaki de militaire. On peut détourner d'autres pièces de la même façon : salopette de pêcheur, combinaison d'aviateur, chemise kaki, ceinture, rangers en toile… Tout est jouable à condition de ne pas les porter en panoplie et de leur donner de la personnalité. On ne doit pas repérer le *warrior* caché en vous !

66 *En matière de vol de penderie, tout est permis. Il faut juste que ça contraste. Si on se sent trop habillé, on ajoute une pièce sportwear. Si c'est l'inverse, on met une veste de mec.* 99

Yaya,
créatrice de la boutique Yaya Store à Paris.

Inter*view*

SILVIA MOTTA, directrice du magazine de mode *Grazia*, Italie.

Pensez-vous que l'on puisse encore parler d'un style français, d'une allure française ?
Oui, même si maintenant « les objets du désir des femmes » sont à peu près les mêmes partout, il y a cette allure qu'on ne trouve qu'à Paris. Cette élégance naturelle qui est dans l'ADN des Françaises. La mode, c'était la France ! Pendant longtemps, la grande bourgeoisie internationale s'est habillée à Paris. C'était le symbole de l'élégance. Il y a une sorte d'héritage, une transmission du style et de la féminité qui font que la Française est à part. Les Françaises ont aussi eu la chance d'avoir avant tout une bible de la mode hebdomadaire avec le *ELLE* français, qui était le premier magazine à mettre en pages un style différent et original, avec charme, grâce et élégance, et sans aucune vulgarité.
Avec le *ELLE*, une nouvelle vision de la mode a été montrée aux femmes : on pouvait être féminine avec une chemise d'homme, on pouvait mélanger les talons avec un pantalon masculin ! On avait le droit finalement de sortir des règles.
Brigitte Bardot était l'une des icônes de cette évolution de la mode et de la société françaises. Physiquement aussi, la femme française avait des formes plus modernes. Un peu androgyne, tout en étant très féminine. Un peu sauvage, peu maquillée, un visage charmant, fine, douce, élégante, tout en donnant une image plus libre. Le style de Bardot reste toujours d'actualité !

Paris a longtemps été la capitale de la mode, est-ce toujours le cas ?
Je dirais que Paris a été un peu contaminée par la mode italienne (et vice versa). Hollywood avec les films et le *star system* avait beaucoup aidé à diffuser le style de la haute couture française, et les créateurs américains ont fait évoluer le prêt-à-porter avec un coup de *street style*. Londres, c'est l'imagination au pouvoir ! Et surtout, la mode s'est internationalisée. Il y a des *fashion weeks* partout ! Mais Paris est toujours la crèche des grands créateurs. Si aujourd'hui, les femmes françaises sont moins inspirantes qu'il y a quelques années, c'est parce qu'il y a eu une véritable globalisation de la mode, un métissage. La même robe, on peut l'acheter partout dans le monde. C'est alors difficile de définir le style d'une vraie Française ! Une certaine élégance peut-être...
Dans les années 1980, lorsque je voyageais en Chine, à Pékin, j'étais surprise par la beauté des femmes avec la sévère veste maoïste et des enfants portant le costume traditionnel chinois. Les couleurs étaient merveilleuses, cela dégageait une beauté, une grâce et une harmonie, qui maintenant sont perdues : ils sont presque tous vêtus à l'européenne !
J'aime aussi les Indiennes habillées en sari ou l'originalité et l'extravagance de certains jeunes Japonais.

La mode s'inscrit aussi dans son époque ?

Oui, la mode est vraiment le reflet de ce qui se passe dans notre société. Tout est uniformisé, tout le monde porte la même chose. Avant les années 1960 du boom économique, on achetait des vêtements deux, trois fois dans l'année, on les gardait, on les entretenait. Aujourd'hui, on achète des milliers de pièces sans forcément avoir celle qui nous convient dans sa penderie !

Il y a trop de tout. Trop d'offre. On a mis dans la tête des gens que le luxe est accessible à tous, ce qui est le contraire du luxe ! On a persuadé les femmes qu'en possédant des objets de luxe, elles auraient le bonheur. On leur a fait croire que si elles ne possédaient pas tel sac ou telle paire de chaussures, elles seraient de pauvres désespérées ! Le luxe est devenu un trompe-l'œil ! Ce luxe accessible à tous rapporte beaucoup d'argent et coûte souvent moins cher à fabriquer qu'il y a quelques années. Autrefois, les couturières de quartier copiaient les créations des grands couturiers français pour leurs clientes ; aujourd'hui, la copie est devenue la règle et ça donne à la mode son côté caduc. La mode doit changer tous les six mois et, finalement, c'est un éternel recommencement, on revient toujours au même point : tout est remake, très peu de nouvelles choses apparaissent ! Il y a donc une vraie attente de choses différentes !

C'est quoi une femme sexy pour vous ?

Une femme, pour être sexy, n'a pas besoin d'être en talons, ni d'avoir un décolleté pigeonnant. C'est pathétique, ces caricatures de femmes ! On en voit beaucoup en Italie. Pourtant, parfois j'admire cet effort pour être si désirable et féminine : c'est un tel travail ! La publicité et la télévision italiennes ont fait évoluer les modèles et pas toujours en bien ! Avant, les modèles étaient Grace Kelly et Audrey Hepburn, aujourd'hui ce sont les soubrettes et les actrices pornos... Les références sont devenues plus vulgaires. C'est aussi peut-être la faute des magazines féminins, on a parfois fait croire aux femmes qu'on pouvait se promener dans la ville vêtu comme si on allait à la plage.

On a perdu la notion de respect de l'autre et la notion de « dress code » : ce n'est pas vrai qu'on peut aller au bureau ou sortir le soir dans la même tenue !

Vous pensez que le vêtement nous représente ?

Oui, l'habit fait le moine ! Le vêtement représente quelque chose d'intime et de très personnel à mon sens. Mettre des vêtements qui ne nous correspondent pas c'est se travestir. Il ne faut pas se tromper sur ce qu'on veut projeter, car le vêtement est toujours essentiel pour se faire accepter. À ce propos, j'ai l'impression que les plus conscients des jeunes générations en ont assez de cette profusion et de cet étalage de marques et d'images, et par réaction, ils s'habillent de façon très conventionnelle et conformiste. Quel que soit leur milieu, leur tenue se ressemble assez ! Ils sont à la recherche de symboles forts et ils essayent plutôt de s'opposer à un certain consumérisme par le choix d'un style homologué et, pourquoi pas, néoconservateur.

Votre garde-robe idéale ?

Des combinaisons, un pantalon d'homme kaki, une chemise blanche ou en jean, un manteau classique. Un pull en V, un col roulé, un pantalon de smoking, des hauts talons. J'aime aussi les robes et le beige avec les couleurs fortes, et j'oublie souvent le sac !

La fripe et le vintage ne sont plus réservés aux étudiants sans le sou depuis que les modeuses célèbres s'en sont emparées. C'est un excellent moyen de se créer une silhouette personnelle et unique. On est loin du vêtement fabriqué en série et sans âme. Cerise sur le gâteau, on trouve parfois dans les friperies une qualité de tissu et de coupe, rare aujourd'hui, sauf chez les grands créateurs, et des pièces qui ont du cachet.

Tout le monde n'a pas l'âme d'une aventurière de la fripe : on peut avoir la chance d'être une dénicheuse qui tombera toujours sur la perle rare au milieu d'un tas de nippes. Mais

La fripe
Chic c'est

Chiner sans ressembler aux Deschiens

il y a aussi les frileuses de la fripe qui ne voient rien et repartent systématiquement les mains vides. C'est pour elles que fleurissent des boutiques qui sélectionnent judicieusement des pièces en fonction des tendances, les passent au pressing et les présentent avec goût. Sans oublier les boutiques qui ne proposent que des sélections griffées, souvent très chères mais à l'originalité et au style inédits. On est loin de la foire à la farfouille souvent rébarbative, et du coup, les prix grimpent. Finalement, il y a de la fripe pour tous les styles et tous les budgets.

MICHELLE BOOR A MODERNISÉ
SON GILET EN FOURRURE
VINTAGE ACHETÉ À LONDRES
AVEC UNE ROBE CHLOÉ,
DES CHAUSSETTES MIUMIU
PORTÉES DANS DES SANDALES
OUVERTES VOUELLE.
ET BIEN SÛR, SON INSÉPARABLE
SAC BIRKIN HERMÈS.

Les 10 commandements
DE LA BONNE CHINEUSE :

J'apprivoise le vintage en douceur

Si l'effet « déjà porté » est rédhibitoire pour moi, je me dirige vers les accessoires qui portent a priori moins l'empreinte de leur propriétaire : ceinture, sac, pochette, foulard… Je ne suis pas obligée de me diriger tout de suite vers les grosses pièces, ni d'adhérer à tout ce que propose la boutique, notamment les chaussures.

Je reste fidèle à mon style

Je m'oriente vers les pièces avec lesquelles j'ai naturellement des affinités. Je laisse de côté les chemisiers à grosses fleurs si je n'ai pas un penchant pour les motifs et je vais plutôt voir du côté des blouses blanches romantiques si c'est mon truc. Ce n'est pas parce que c'est vintage que ça ne doit pas me ressembler.

Je suis curieuse

Je laisse tout de même une chance au vêtement de me surprendre. Un soudain coup de cœur pour une petite veste vert anis esprit fifties peut être une agréable surprise. Surtout si on ne sort jamais du noir. Un top en crochet fait main amusera un jean d'été. L'occasion rêvée de colorer sa penderie et de se donner du peps.

Je ne suis pas snob

Je fais la différence entre la pièce cheap avec laquelle je vais m'amuser un soir (le petit machin tout mou genre blouse à paillettes eighties qui fera la blague une soirée) et l'élément fort de la garde-robe (manteau esprit Courrèges, veste violine collège en velours…).

Je fais attention aux matières

Gaffe au cuir qui sent le grenier (irrattrapable), à la veste dont la doublure est marquée par des auréoles, au chemisier en soie qui a pris l'humidité, aux trous et aux taches de rouille… Je lis les étiquettes, je renifle et je

MARIE PEYRONNEL DONNE
UNE TOUCHE ACTUELLE
À SON BLOUSON AGNÈS B
DES ANNÉES 1980
AVEC UN BIJOU DE TÊTE
CORALIE DE SEYNES
ET UN SLIM NOIR.

détaille le tissu jusqu'à la doublure. Je vérifie si tous les boutons sont en place, si le zip d'un blouson ou la fermeture d'un sac fonctionne. Il y a une différence entre vintage et vieille nippe. Au passage, je prends garde à la fausse vieillerie : le H&M ou le Naf Naf 1996 n'est pas du vintage, juste du vieux.

Je prends la peine d'essayer

Je ne fais pas l'impasse sur l'essayage sous prétexte que ce n'est pas cher. Le vêtement doit m'aller impeccablement. Or les coupes évoluent : le tissu et le style peuvent me plaire, mais si les manches sont trop larges ou les épaules tombantes ou trop étriquées, j'oublie. À moins d'avoir un budget « retouches » ou de savoir bricoler.

Je me projette

Avant de craquer, je confronte le vêtement avec mes basiques comme je le ferais pour une pièce neuve. Complète-t-il bien – au moins une de – mes tenues ou risque-t-il d'être une pièce orpheline qui finira au fond de l'armoire ? Va-t-il donner du chien ou apporter une touche de couleur à un basique que je ne porte plus ? Si oui, je fonce !

Je ne néglige pas le basique

Oui aux essentiels de bonne facture : le trench bien coupé, la veste en jean parfaite, les bottes de moto, le manteau en drap de laine épais, la blouse en dentelle rétro… Ce qui ne m'empêche pas de me laisser surprendre par une pièce plus forte que je n'aurais sans doute pas achetée neuve et au prix fort.

PAULINE D'ARPEUILLE, CRÉATRICE DE LA BOUTIQUE FRIPESKETSHUP, PORTE UN PANTALON VINTAGE AVEC DES ESCARPINS LANVIN ET UNE POCHETTE BALMAIN CHINÉS, MODERNISÉ PAR UN PERFECTO EN CUIR VENT COUVERT.

J'en profite pour faire de la récup

Ça peut valoir le coup d'acheter un top, juste pour ses boutons qui serviront à personnaliser une veste achetée dans une grande enseigne. Un joli col en fourrure piqué sur une veste un peu dadame ou des manchettes peuvent aussi embellir une pièce datée de ma penderie.

Je marie mon vintage avec du beau

Surtout pas de « total look friperie ». Une fois de plus, le secret tient aux mélanges. J'associe ma nouvelle jupe imprimée vintage avec un beau pull en cachemire, j'enfile mon jean le plus chic avec ma blouse en dentelle chinée, des bottes élégantes avec une robe rétro… autant de mélanges qui équilibrent et rassurent.

Pour les dégourdies

Pas forcément besoin d'avoir des doigts de fée pour transformer un vêtement. Parfois, il suffit de donner un coup de ciseaux à un sweat d'université pour le féminiser grâce à une encolure bateau et des manches trois quarts. Je peux aussi changer les lacets d'une paire de boots rétro, teindre une robe en soie, coudre des paillettes sur une veste d'homme ou ajouter une grosse ceinture pour sangler une robe trop large…

VALENTINE GAUTHIER ET SA ROBE CHINÉE AUX PUCES, TEINTÉE PAR SES SOINS EN BLEU OUTREMER. POUR LA RÉCHAUFFER, UN CARDIGAN EN LAINE VALENTINE GAUTHIER.

Inter*view*

PATRICIA DELAHAIE,
psychosociologue et coach de vie.

© Photo DR

Aujourd'hui, que dit la mode de notre histoire ?

La mode a toujours suivi l'histoire des femmes et l'évolution des mentalités. Dans les années 1950, presque toutes les femmes suivaient un modèle de féminité. Elles s'efforçaient d'être « convenables », c'est-à-dire conformes ; elles s'inquiétaient du qu'en-dira-t-on et s'affranchissaient peu, individuellement. Sur le plan vestimentaire, cela se traduisait par une sorte d'uniforme. La majorité des femmes portaient une jupe noire et un corsage blanc, avec quelques variantes peu colorées. Les bijoux de famille arborés fièrement, le dimanche, témoignaient aussi de l'attachement à la valeur famille et… à la réussite sociale. Dans les années 1970, à l'époque hippie, tous les carcans ont sauté. À la suite de Mai 68, il devenait interdit d'interdire. On envoyait valser les contraintes, y compris celles de sa garde-robe : plus de soutien-gorge, plus de ceinture, des longues robes fluides, flottantes, bariolées, des chaussures « molles ».
Aujourd'hui, à l'ère de l'individualisme, chacun peut vivre et s'habiller à sa façon, inventer son look comme il invente son « moi ». Dès lors, tout est possible, avec beaucoup de « fantaisie » comme nos bijoux. Le look renseigne sur la personne ; nous sommes mis à nu par nos vêtements. À quelle tribu nous rallions-nous ? Quelle image voulons-nous donner de nous-même ? Veut-on entrer dans le moule ou affirmer sa différence ? Être vu ou passer inaperçu ? Exprimer sa créativité ou revendiquer son côté sportif, asexué, strict… ?

S'habiller peut devenir compliqué !

En tout cas, moins automatique. Tout dépend des jours. Parfois c'est une fête, une joie. D'autres jours une tristesse (on a grossi !) ou une corvée : pas le moral, la flemme, on s'habille n'importe comment. Quel dommage ! Choisir une tenue qui nous ressemble et nous met en valeur est une manière de bien commencer la journée. On pense déjà au

> 66 *La mode a toujours suivi l'histoire des femmes et l'évolution des mentalités.* 99

Inter*view*

plaisir que l'on aura à croiser notre image dans le miroir de l'ascenseur, dans la vitrine d'un magasin et… au regard que les autres poseront sur nous, plus flatteur. Il faudrait prendre ce temps pour soi, y prêter attention, en faire un vrai plaisir. J'y vois la même différence qu'entre boire son café le matin, debout, à la va-vite, et s'asseoir, savourer un vrai petit-déjeuner complet. Le plaisir de s'habiller est aussi dans le plaisir

Pour aimer s'habiller, faut-il certaines prédispositions ?

Comme une « éducation » ? Oui, peut-être. Certaines femmes donnent envie de s'habiller joliment. Elles savent marier les styles, les formes, les couleurs, trouver ce qui leur va. Dans certaines familles, c'est un legs de mère à fille, et les journées shopping sont l'occasion d'une grande complicité. Les autres ont besoin d'un « modèle » sans jeu de mot, d'une

deux ou trois condiments, un brin de salade, deux tomates… Elles savent broder d'infinies variétés sur le même thème. Chez elles, les sempiternelles pâtes n'ont jamais le même goût. Idem en mode. Certaines femmes savent décliner les basiques à l'infini. Ne pas s'habiller de la même façon 365 jours par an est une manière de savourer le présent, de se réjouir chaque matin et – comme en cuisine d'ailleurs – de voir défiler les jours, les saisons.

> 66 *Une garde-robe est révélatrice de la personne. De la même manière qu'un intérieur de maison.* 99

d'acheter. Certaines femmes éprouvent d'ailleurs plus de plaisir à gonfler leur penderie qu'à porter leurs vêtements neufs ou… leurs paires de chaussures innombrables. Pour d'autres, c'est le contraire : acheter est une corvée mais harmoniser leurs vieilles nippes est un plaisir renouvelé. Souvent, on aime acheter et porter.

sœur, d'une copine, de quelqu'un qui leur donne le goût d'avoir du… goût tous les jours. Les plus stimulantes sont aussi les plus créatives, celles qui s'amusent : elles jouent à s'habiller. Elles inventent tous les matins. Elles ont un truc en plus, comme ces cuisinières qui ont l'art d'inventer des saveurs, une jolie présentation avec

Ça s'apprend ?

Une garde-robe est révélatrice de la personne. De la même manière qu'un intérieur de maison. Elle renvoie à l'histoire de chacune. Là se mêlent les vêtements confortables, ceux qui rappellent un souvenir, les sacs comme les meubles hérités, les cadeaux, les coups de folie importables… Prendre le temps de faire le ménage dans sa penderie, éliminer ce qui ne nous ressemble plus, est un premier pas. Ensuite, balayons nos préjugés. Faut-il beaucoup d'argent pour s'habiller à son goût ? Non, il faut surtout aimer ça. Et bousculer ses habitudes. Généralement, on habille joliment la partie de soi qu'on aime le plus : le haut si on aime son buste, le bas si on aime ses jambes, comme on se manucure si on aime ses mains, comme on se maquille les yeux quand on les trouve jolis mais en oubliant parfois son corps. Observons les « parties » que nous négligeons, car le plaisir de s'habiller vient en… s'habillant. Le déclic peut aussi passer par un conseiller en image.

Doit-on bien se connaître pour bien s'habiller ?

Ça ne doit pas être une condition. Si vous n'êtes pas sûre de vous, c'est décourageant, vous risquez d'abandonner. Pour apprendre à vous connaître, partez des vêtements que vous aimez porter et dans lesquels vous vous sentez bien : ils vous serviront de base. Commencez par les zones de confort psychologique : si vous aimez les hauts, c'est d'abord à eux que vous consacrerez votre attention.

Ajoutez-leur de la couleur, des imprimés, peut-être un autre style… La suite viendra plus facilement. S'habiller doit être un plaisir simple.

Certaines femmes trouvent ce plaisir futile…

On peut éprouver de la culpabilité à dépenser de l'argent pour soi, à consacrer du temps pour soi… Du coup, au lieu de

prendre soin de sa penderie et de passer un peu de temps à faire des vrais bons choix, on passe du rien au n'importe quoi : sur un coup de tête, on s'achète cinq pièces vite fait sur Internet ou dans une boutique. Ainsi se retrouve-t-on avec une garde-robe culpabilisante et décevante. Un peu comme les femmes qui

alternent régimes et fringales, on passe des achats inconsidérés au rien du tout. On ferait mieux de prendre plaisir, tout simplement, à choisir ses vêtements et à les porter… tous.

> ❝ *Certaines femmes savent décliner les basiques à l'infini. Ne pas s'habiller de la même façon 365 jours par an est une manière de savourer le présent, de se réjouir chaque matin…* ❞

Auteure de *La sexualité est une longue conversation*, Marabout.

Je peux Encore

Les interdits de l'âge

Nous ne sommes pas du genre à fixer des limites, ni à donner des dates de péremption. A priori, on peut tout se permettre à tous les âges à condition que ce ne soit pas un déguisement et que ça nous corresponde. Le but du jeu, c'est de se ressembler et pas de copier le mannequin du magazine. Il y a tout de même quelques petites erreurs de parcours à éviter.

MONICA GOUBIN, CRÉATRICE
DE LA MARQUE MONICA,
CASSE LE CÔTÉ COCKTAIL
DE SON BOLÉRO EN FOURRURE
VINTAGE AYANT APPARTENU
À SA MÈRE PAR UN TOP
ET UNE JUPE MONICA
ET DES BOOTS MASCULINES
SAN MARINA.

Adolescence, CAMOUFLAGE ET EXCÈS

On explore son style, on copie ou on va à contresens, tout ça est touchant. Ce qui l'est moins : le fond de teint « masque mortuaire » ou la terre de soleil « Pocahontas » en multicouches qui focalisent l'attention, les débordements de khôl, l'abus de soutifs push-up et de bretelles sauvages. Elles ne veulent pas l'entendre, mais les ados sont presque toujours plus belles en fleurs sauvages.

La vingtaine, TOUT EST PERMIS

On peut faire la fête toute la nuit et se réveiller fraîche, abuser du soleil, de l'alcool, du tabac et des barres chocolatées au milieu de la nuit sans effets secondaires ; les excès ne se voient pas encore. Une chance ? Pas sûr. L'âge béni est traître. On paye souvent l'addition à 35 ans. Donc, on a intérêt à contrebalancer par un mode de vie sain. À part ça, côté look, c'est la belle vie. On peut tout s'autoriser dans la limite de sa morphologie, de son style et de ses envies. Or c'est parfois une période où on doute de sa séduction, du coup, on la surjoue en multipliant les soi-disant codes de la féminité : minijupe, talons hauts, décolleté… L'accumulation est juste anti-sexy.

La trentaine, ON SE (RE)LÂCHE

On a généralement moins le temps de s'occuper de soi, on prend quelques kilos, on zappe le rendez-vous chez le coiffeur, on oublie de renouveler sa garde-robe au profit de celle des enfants… Si, si, on force à peine le trait. Si relâchement il y a eu, c'est le moment de se reprendre et peut-être de se trouver enfin un style. Mais attention aux fautes de goût qui donnent un coup de vieux : le balayage zèbre, les ongles trop longs, les matières et coupes cheap (les chemisiers stretchés avec les boutons qui tirent, la polaire pour aller au square, le mauvais denim, le sac à main fourre-tout bas de gamme…). C'est un âge où il faut se différencier avec de jolies pièces, pas avec les it-machins du moment, mais avec les vêtements et accessoires qui nous plaisent et nous donnent de la personnalité.

18 ANS, L'ÂGE DE TOUTES
LES EXPÉRIENCES ET DU SHORT EN JEAN,
PORTÉ AVEC UNE BLOUSE ET UN SAC
MES DEMOISELLES ET DES BOTTES
D'INDIENNE ACHETÉES AUX ÉTATS-UNIS.

SHIRLEY PORTE DES BIJOUX
CRÉÉS PAR ELLE SUR
SA VESTE Thierry MUGLER

La quarantaine, ON TÂTONNE ENCORE

C'est une période de transition compliquée à vivre. On devine qu'on vieillit alors que dans sa tête, on est la même. Les kilos se gagnent facilement et se perdent au prix d'efforts contraignants. Les nuits courtes et les soucis se lisent sur le visage et la silhouette change (la taille s'épaissit, la peau est moins tonique, les traits se creusent, on perd la *baby-face*). Plein d'actrices disent que c'est le plus bel âge. Alors on les croit ! Mission numéro un : trouver un bon coloriste qui travaillera une couleur pas uniforme mais vivante et profonde (effet moumoute à

bannir). Mission numéro deux : chouchouter sa peau avec des soins ciblés et un make-up adapté. On oublie les surcharges, les irisés, le contour des lèvres et les couleurs crues qui donnent un coup de vieux (on n'est pas au théâtre Kabuki). Mission numéro trois : privilégier les belles matières. On peut porter un pantalon écossais orange, rouge et rose à condition qu'il soit d'excellente facture. Mission numéro quatre : rire. Beaucoup, beaucoup ! Le sourire est le plus joli des maquillages ! Et il n'y a pas que les actrices qui le disent. Les hommes – et nos copines – aussi.

La cinquantaine et (beaucoup) plus, ON CONTINUE À RIGOLER

On se connaît bien, on en profite. Même si le corps continue de changer, on ne lâche pas l'affaire. Au contraire. On prend soin de soi, on se sur-crème, on fait du yoga, on sourit. On a toujours le droit de s'amuser avec la mode, de porter des collants violets et de la dentelle ou de s'habiller comme un garçon si ça nous chante. On évite juste la panoplie « cagole » minijupe, dos nu et semelles compensées en corde. On la laisse à ses petites-filles. Et encore…

L'ÂGE OÙ ON SE CONNAÎT : DAUPHINE MANIE PARFAITEMENT SON STYLE ROCK-GLAM.

« S'il y a un âge limite pour porter certains vêtements ? Non !
Si on a le style qui va avec, beaucoup de choses marchent !
Par exemple, les Doc Martens, c'est mon truc. Je les adore, je n'arrête pas de les prendre en photo ! Cet amour me vient de Londres. Avec leur look provoc, masculin, rebelle, elles m'évoquent la liberté… Et en plus, on peut courir avec toute la journée. Je n'ai jamais mal aux jambes. Je les féminise avec des lacets en velours ou en tissu coloré. D'ailleurs, la maison mère à Londres m'a félicitée : c'est tellement french ! Nous sommes tous des gosses. Ça n'a rien à voir avec le jeunisme mais avec l'enfant qui est en nous. Alors amusez-vous, osez la futilité ! Soyez créatif et n'ayez pas peur de vous tromper. Hier, je portais des collants jaunes, ce n'était pas forcément réussi. Et pourtant, plein de garçons m'ont fait des compliments ! Je pousse mes clientes à oser : elles ont entre 30 et 60 ans, en ont marre que les médias leur présentent la même identité, elles ne veulent pas rentrer dans un moule. Ici, je leur propose une mode différente.
Elles reviennent me dire qu'on leur a fait des compliments. Certaines ne veulent pas donner l'adresse de la boutique, c'est leur secret ! »

Catherine Lupis-Thomas,
responsable de la boutique 1962

« Moi, je ne suis pas trop la mode, j'ai trouvé mon style très jeune, au collège, avec des chemises d'homme, mon chignon et mes grosses lunettes. J'aime les choses classiques. Mon chignon, par exemple, est tellement anachronique qu'il donne une touche décalée et rock. J'ai l'impression qu'il n'y a pas réellement de mode. Dans la rue, je vois autant de jeans flare des années 1970 que de 501 taille haute eighties ou encore des slims très 2000. Côté chaussures, il y a des sabots, des plateaux… ou des kitten heels. Il n'y a pas d'uniformisation. Chacun de nous a "sa mode", et les marques accessibles comme H&M ou Zara nous proposent un choix si vaste que tout le monde trouve quelque chose à son goût. Avant tout, il ne faut pas suivre la mode si elle ne convient pas à notre morphologie. La mode, c'est ce qui nous va. »

Inès-Olympe Mercadal,
directrice artistique de Mercadal Vintage

Propos extraits du blog Mode Personnel(le).

Petit tour de nos bonnes
ADRESSES À PARIS

CONCORDE
LOUVRE
RIVOLI

Pour déjeuner
ou boire un verre

• Le Fumoir
On se pose dans les grands fauteuils en cuir pour lire la presse, parler affaires, amour ou fringues. On joue les intellos dans la bibliothèque en grignotant de la charcuterie ou des gâteaux sans scrupules !
6, rue de l'Amiral-de-Coligny, 75001 Paris.
Tél. : 01 42 92 00 24

Pour déjeuner
ou prendre un thé

• Toraya
L'une des plus anciennes pâtisseries du Japon a ouvert son salon de thé cosy et raffiné à deux pas de la Concorde. Gâteaux traditionnels aux noms poétiques, carte de thés éblouissante, zénitude absolue...
10, rue Saint-Florentin, 75001 Paris.
Tél. : 01 42 60 13 00

Pour le shopping

• Jamin Puech
Les sacs Jamin Puech, réalisés par les meilleurs artisans du monde entier sont uniques, intemporels, pas à la mode, donc indémodables !
26, rue Cambon, 75001 Paris.
Tél. : 01 40 20 40 28

• Gabrielle Gepert
L'adresse incontournable pour trouver le sac Hermès vintage ! Une collection impressionnante de Chanel, Saint Laurent, Alaïa. Adepte de la mode de masse, venez prendre une leçon de style et de qualité chez cette passionnée du beau et du bel ouvrage.
31, galerie Montpensier, Jardin du Palais-Royal, 75001 Paris.
Tél. : 01 42 61 53 53

• Fifi Chachnil
Si vous voulez une lingerie de star hollywoodienne, c'est ici qu'il faut venir ! Fifi Chachnil revisite avec humour et charme le soutien-gorge, la culotte, la guêpière et la nuisette. Fan de Betty Page ou de Betty Grable, cet endroit est fait pour vous.
68, rue Jean-Jacques-Rousseau, 75001 Paris.
Tel. 01 42 21 19 93

• Librairie Galignani
Installée rue de Rivoli depuis 1856, cette libraire est l'une des plus belles de Paris. On y trouve une grande sélection d'ouvrages anglo-américains et tous les livres introuvables ailleurs. L'atmosphère y est unique.
224, rue de Rivoli, 75001 Paris.
Tel. : 01 42 60 76 07

• Frédéric Malle
Petit-fils du fondateur de Dior Parfums, il édite des parfums qui ont de la personnalité, de l'allure et du caractère. Ici, on ne trouve que des parti pris audacieux et inventifs. Frédéric Malle «édite» les parfums des artistes parfumeurs qu'il admire en leur laissant souvent carte blanche, pour notre plus grand bonheur !
21, rue du Mont-Thabor, 75001 Paris.
Tél. : 01 42 22 16 89

• Edge
C'est là que les grandes agences de mannequins parisiennes envoient leurs modèles pour rattraper une couleur ratée ou un cheveu fusillé. Bois wenge, thé bio, pigments naturels, on prend vraiment soin de vos petits cheveux.
10, rue du Chevalier-Saint-Georges, 75001 Paris.
Tél. : 01 42 60 61 11

• Maison Darré
Vincent Darré, ex-styliste de Karl Lagerfeld chez Fendi, a ouvert une boutique de meubles et déco qui nous font penser à La Belle et la Bête de Cocteau. Objets de curiosité.
32, rue du Mont-Thabor, 75001 Paris.
Tél. : 01 42 60 27 97

• **Meyrowitz**
Depuis 1875, la maison au charme désuet crée des modèles inédits et des lunettes sur mesure. On y trouve la fameuse « Manhattan », best of depuis 1950 et connue des amateurs de jolies lunettes comme des modeuses expertes qui cherchent des montures qu'elles ne verront pas sur le nez de tout le monde.
5, rue de Castiglione,
75001 Paris.
Tél. : 01 42 60 63 64

• **Minuit moins 7**
Si vous tenez à une paire de chaussures, c'est là qu'il faudra les faire soigner lorsqu'elles seront souffrantes. C'est aussi le chirurgien esthétique des Louboutin : on dit qu'il est le seul à savoir remplacer la fameuse semelle en cuir rouge.
10, passage Véro-Dodat,
75001 Paris.
Tél. : 01 42 21 15 47

Pour dîner

• **Chez Ferdi**
Très bonnes tapas, hamburgers délicieux, vins goûteux, patron sympa, top-modèles en goguette... Attention, toujours archi-bondé. Réservation obligatoire.
32, rue du Mont-Thabor,
75001 Paris.
Tél. : 01 42 60 82 52

• **Le Restaurant du Palais Royal**
Repris par le jeune chef Eric Fontanini, un endroit précieux avec vue sur l'un des plus beaux jardins de Paris. Eric est drôle, audacieux, doué et hyper sympathique. Il viendra (discrètement) bavarder avec vous à table et vous serez forcément séduit par son humour et son amour du métier.

110, Galerie de Valois,
75001 Paris.
Tél : 01 40 20 00 27

LE MARAIS

Pour le shopping

• **État Libre d'Orange.**
Avec des noms comme « Vrai Blonde», «Je suis un homme», « Putain des palaces», «Encens et bubble gum», on est dans l'humour mêlé au fantasme. Lancé par Étienne de Swardt, État Libre d'Orange est une déclaration d'indépendance lancée au monde du parfum. Laissez-vous enivrer par ces senteurs audacieuses et envoûtantes.
69, rue des Archives,
75003 Paris.
Tél. : 01 42 78 30 09

• **Valérie Salacroux**
Bien connue des amoureuses de la mode et des belles choses pour ses sabots qui se portent été comme hiver, Valérie Salacroux propose aussi, dans de magnifiques matières premières, comme le cuir taurillon du Pays basque, de splendides sacs et cabas aux couleurs pimpantes, des ceintures, des sandales, des bottes et des nu-pieds.
6, rue du Parc-Royal,
75003 Paris.
Tél. : 01 46 28 79 09

• **Mes Demoiselles**
Icône des modeuses japonaises, la créatrice Anita Radovanovic a aussi ses inconditionnelles dans son propre pays. Beaucoup (mais mal) copiés, ses blouses vaporeuses brodées, robes en dentelle légères comme des plumes et pulls bohèmes provoquent des coups de foudre immédiats.
45, rue Charlot, 75003 Paris.
Tél. : 01 49 96 50 75

• **Valentine Gauthier**
Valentine ne supporte pas la mode copier/coller. Elle pousse ses clientes à oser davantage. Avec les vêtements qu'elle crée, mélanges de matières, de broderies, d'empiècements de cuir, soie, rivets métalliques... pas de doute, on se sent belle et différente.
58, rue Charlot,
75003 Paris.
Tél. : 01 48 87 68 40

• **Les Prairies de Paris**
Est-ce une galerie ? Un magasin de vêtements ? Les deux, mon capitaine. Laetitia Ivanez, la créatrice de la marque, a réservé le premier étage de sa deuxième boutique à des expos et des happenings, tandis que le sous-sol présente ses collections de vêtements aux coupes irréprochables et aux couleurs vives. Que dire de ses derby et de ses escarpins ? On ne les quitte plus !
23, rue Debelleyme,
75003 Paris.
Tél : 01 48 04 91 16

• **Merci**
Dans cet immense concept store, on y déjeune, on y boit un thé ou un verre et on shoppe. Conçu comme une grande maison de vacances, on s'y balade entre Isabel Marant, Heimstone ou des marques moins connues en faisant une bonne action puisqu'une partie des bénéfices est reversée à des œuvres caritatives.
111, boulevard Beaumarchais,
75003 Paris.
Tél. : 01 42 77 00 33

• **Monsieur Paris**
Or, argent, diamants... On aime tellement les bijoux légers et délicats de l'espiègle

On y croise de jeunes créateurs et des stars américaines venues incognito tester la *french food* ! Il y a souvent la queue, surtout le dimanche.
3, rue des Rosiers, 75004 Paris.
Tél : 01 42 72 90 61

• Marché des enfants rouges

On se presse pour faire le plein de produits frais dans le plus vieux marché de Paris, créé en 1615 : poissonnier, légumes bio, fromager, caviste, fleuriste... Et pour s'attabler à l'heure du déjeuner à la terrasse couverte des restaurants et traiteurs : délices marocains, antispasti, bento... Tout est délicieux !
39, rue de Bretagne 75003 Paris. Tél : 01 40 11 20 40

• Nanashi

Un restaurant bio et japonais, qui est devenu la coqueluche de tout ce que Paris compte de branchés ; ça pourrait faire fuir, mais la fraîcheur et la qualité des produits, les bentos délicieux nous ont convaincus.
On vote pour...
57, rue Charlot, 75003 Paris.
Tél. : 01 44 61 45 49

ÉTOILE TROCADÉRO PASSY

Difficile de trouver son bonheur dans la rue de Passy envahie par la *fast fashion* ! Une boutique de fringues tous les dix mètres, on sature vite. On peut toutefois encore trouver quelques perles rares.

Pour le shopping

• Maralex

Le célèbre magasin de chaussures pour enfants, ouvert il y a quelque 60 ans, qui a chaussé tous les pieds des bambins du 16e, s'est modernisé et agrandi. On y trouve de magnifiques jouets en bois, en carton recyclé, des livres, de la déco, à côté des indémodables Start-rite et de jeunes créateurs comme Louis Louise ou Bellerose.
1, rue de la Pompe, 75116 Paris.
Tél. : 01 42 88 92 90

• Victoire

Elle s'est installée rue de Passy depuis quelques années. La boutique est plus petite que celle de la place des Victoires mais le choix toujours juste !
16, rue de Passy, 75116 Paris.
Tél. : 01 42 88 20 84

• Swildens

Cette jolie marque a grandi en explorant la fraîcheur des années 1970 et la modernité du tout nouveau siècle. Juliette, la créatrice inspirée, semble avoir parfaitement capté les paradoxes et les contradictions des jeunes femmes d'aujourd'hui.
9, rue Guichard, 75016 Paris.
Tél. : 01 42 24 42 52

• Franck & Fils

Le petit grand magasin typiquement parisien. Des créateurs reconnus, une très bonne sélection de bijoux et d'accessoires, mais aussi de jeunes designers prometteurs. Plus cosy que Le Bon Marché ou les immenses Galeries Lafayette que nous adorons aussi !
80, rue de Passy, 75016 Paris.
Tél. : 01 44 14 38 00

• Komplex Store

On y va surtout pour le « bar » à jeans qui viennent du monde entier. Celui de vos rêves y est forcément. On aime aussi les costumes pour femmes, très sobres et masculins.
118, rue de Longchamp, 75116 Paris.
Tél. : 01 44 05 38 33

• Passy de Patrick Gérard

Surtout, ne vous fiez pas au nom, cette boutique refaite il y a deux ans cache des merveilles ! Mesdemoiselles, Campomaggi, My Pants, Star Mela, Martinica Belts...
56, rue de Passy, 75016 Paris.
Tél. : 01 42 24 02 04

• Sœur

Les adolescentes ont enfin une marque qui leur est consacrée. Domitille Brion et sa sœur Angélique ont réservé leur créativité à ce passage étrange qui va de 12 à 18 ans. Elles ont trouvé le langage juste pour accompagner celles qui n'ont plus envie d'être des enfants sans avoir vraiment l'intention de plonger dans le monde des adultes. Les ados peuvent y explorer tranquillement leur féminité et s'initier à la coquetterie.
5, rue Pierre-Guérin, 75016 Paris,
Tél. : 01 45 25 73 04.

• Le 66

On y trouve tous les créateurs pointus du moment et, cerise sur le gâteau, beaucoup de designers qu'on ne trouve nulle part ailleurs. Plus de 200 créateurs sur 1200 m² dévolus à la mode et au style, une mode présentée dans un style «So french», pas tombée du podium, mais réinterprétée comme les belles Parisiennes savent si bien le faire ! Un des endroits Parisiens presque aussi connu à l'étranger que notre chère Tour Eiffel !
66 avenue des Champs Elysées 75008 Paris. www.le66.fr
Tél : 01 53 53 33 80

Pause-déjeuner

• Akasaka
Un très bon japonais
dans le 16ᵉ, installé depuis
plus de 20 ans.
Une équipe serviable et
souriante et des *sushis* extra.
On peut aussi explorer des
plats plus authentiques,
toujours fins et délicieux.
Cher mais très très bon.
9, rue Nicolo, 75016 Paris.
Tél : 01 42 88 77 86

• Carette
La mythique pâtisserie-salon
de thé du 16ᵉ. Le matin tôt,
on y petit-déjeune avec les
patrons du CAC 40 et les
banquiers ; vers 10 heures,
Carette se féminise et, à midi,
la terrasse est bondée de
trentenaires très *red-carpet* !
4, place du Trocadéro,
75116 Paris.
Tél. : 01 47 27 98 85

• Comme des Poissons
L'un des meilleurs sushis de
Paris, mais c'est grand comme
ma poche, donc réservation
obligatoire, ou alors vous
achetez à emporter pour vous
régaler chez vous.
24, rue de La Tour, 75116 Paris.
Tél. : 01 45 20 70 37

• Schwartz's
Le fameux burger du Marais
s'est installé à deux pas du
Trocadéro. Un vrai décor US,
une file d'attente de
compétition pour le déjeuner,
un patron ultra-sympathique
aux yeux bleus magnifiques
et de délicieux hot-dogs,
cheese- burgers et
cheesecakes à déguster.
7, avenue d'Eylau, 75116 Paris.
Tél. : 01 47 04 73 61

Pour dîner entre copains

• Le Paris 16
Cuisine italienne, décor
inspiré des années 1950, tout
est fait maison et excellent !
Beaucoup d'ambiance et de
convivialité dans ce petit
restaurant fréquenté par des
habitués de tous les âges !
18, rue des Belles-Feuilles,
75116 Paris. Tél. : 01 47 04 56 33

SAINT-GERMAIN ODÉON

Pour déjeuner ou dîner

• Le Comptoir
Offrir de la qualité pour un
prix raisonnable, dans un
cadre agréable et
sympathique. Une formule,
à mi-chemin entre la grande
cuisine et la brasserie, qui
manquait aux gourmands.
Yves Camdeborde, chef
béarnais qui a fait toutes
ses classes dans les plus
prestigieux établissements
parisiens, a réussi son pari.
On adore déjeuner ou dîner
en terrasse, même l'hiver,
protégé par des couvertures
bien chaudes.
9, carrefour de l'Odéon,
75006 Paris.
Tél. : 01 43 29 12 05

• Les 2 Abeilles
Des gâteaux à se damner, une
ambiance douce et féminine !
On y croise de belles actrices,
des écrivains et des mamans
longues, blondes et chics! Très
Parisien et délicieux.
189, rue de l'Université,
75007 Paris.
Tél 01 45 55 64 04

Pour le shopping

• Eyespleasure
L'opposé du supermarché de
lunettes où l'on vous propose
le modèle à logo du moment.
L'opticien, véritable styliste,
préfère dialoguer avec vous
pour cerner votre
personnalité et l'image
que vous souhaitez donner.
En plus, vous êtes sûr de ne
pas repartir avec les mêmes
montures que votre voisin :
la boutique ne propose que
des créateurs connus pour
la perfection de leur design
et de leurs matériaux.
40, rue Saint-Sulpice,
75006 Paris.
Tél : 01 44 07 11 99

• Les Parapluies Simon
Des vrais parapluies,
ombrelles, cannes ! Des
designs uniques au monde,
une fabrication artisanale.
Rien à voir avec les « pébrocs»
vendus à la sauvette pour les
touristes ! La boutique existe
depuis 1897. Ici on répare, on
recoud vos vieux parapluies et
on en vend de magnifiques, à
ne pas oublier dans le métro !
56, boulevard Saint-Michel,
75006 Paris.
Tél. : 01 43 54 12 04

• Heimstone
Alix Petit crée des vêtements
qui se gardent et qui doivent
être adoptés, voire détournés
par leur propriétaire.
Pas de total look donc, mais
un esprit « Heimstone »,
libre, audacieux.
23, rue du Cherche-Midi,
75006 Paris.
Tél. : 01 45 49 11 07

• Mona
Mona, la propriétaire,
fait des sélections
fantastiques qui séduisent
les plus exigeantes, qu'elles
soient célèbres comme Diane
Kruger ou anonymes. Pierre
Hardy, Alaï, Stella Mac
Cartney… , ici tout n'est que
luxe et volupté.
17, rue Bonaparte,
75006 Paris.
Tél. : 01 44 07 07 27

• Polder
Créé par deux sœurs
ayant passé leur enfance
en Hollande, Polder habille

• Polder

Créé par deux sœurs ayant passé leur enfance en Hollande, Polder habille les mamans et leurs filles. On aime particulièrement les collants et les chaussettes aux belles couleurs acidulées mêlées de lurex. Et aussi les ballerines, les sandales et les très jolis sacs à main.
13, rue des Quatre-Vents,
75006 Paris.
Tél. : 01 43 26 07 64

• Ken Okada

Un cocon féerique tendu de tulles blancs, c'est là que la Japonaise Ken Okada présente ses collections de chemises en coton, en soie ou tout en transparence. Intemporelles mais pas si classiques. Certaines se portent devant ou derrière ou se boutonnent de différentes façons.
On a parfois quatre chemises en une ! Si chics qu'elles donnent envie de se passer de veste.
1 *bis*, rue de la Chaise,
75007 Paris.
Tél. : 01 42 55 18 81

CHÂTELET
LES HALLES

Pour déjeuner ou dîner

• BAM Bar à Manger

Un néo-bistrot dynamique au menu créatif à base de produits frais; qui mélange les saveurs : velouté de potiron au gingembre, thon mariné juste saisi, rumsteack laqué au garamasala, magret de canard au piment d'espelette…
Le Bar à Manger, c'est fin et joyeux !
13, rue des Lavandières-Sainte-Opportune,
75001 Paris
Tél. : 01 42 21 01 72

• Blend Hamburger

Un mini restaurant où on dévore les meilleurs hamburgers de Paris. Une viande françaises sélectionnée par Yves-Marie le Bourdonnec. On peut déguster avec les doigts. Et une mention spéciale du jury aux frites de patates douces !
44, rue d'Argout, 75002 Paris.
Tél : 01 40 26 84 57

Pour le shopping

• Yaya Store

Du casual cocoon inspiré du sportwear américain des sixties, les fameux chèches réalisés dans d'anciens tissus hmongh, des robes folk, des sacs travaillés dans des cuirs italiens irrésistibles… beaucoup de pièces qu'on ne trouve pas ailleurs sont dans cette mini-boutique aux trésors.
55 rue Montmartre,
75002 Paris.
Tél. : 01 40 39 92 89

• Maison Momoni

Outre les célèbres petites culottes froufroutantes de la marque italienne, on trouve dans cette boutique – où tous les meubles ont été chinés dans des brocantes –, des vêtements et accessoires délicieusement rétro et romantiques de marques italiennes peu connues.
36, rue Étienne-Marcel,
75002 Paris.
Tél. : 01 53 40 81 48

• By Marie

Âme bohème amoureuse des beaux vêtements et des bijoux délicats, Marie ne présente que ses coups de cœur et ses découvertes : Forte Forte, Thakoon, Roseanna, Heimstone, Nessa by Vanessa Mimran… Qu'ils soient connus ou en devenir, peu importe, son but est de nourrir le désir et de nous surprendre.
44, rue Étienne-Marcel,
75002 Paris.
Tél. : 01 42 33 36 04

MONTMARTRE
LES ABBESSES

Pour le shopping

• Galerie 1962

Des meubles et des lampes vintage des années 1950 et 1960, des papiers peints d'inspiration seventies, les radios Orla Kiely, la vaisselle Marimekko… cette galerie est à l'image de sa propriétaire qui tient aussi la boutique « 1962 » située à deux pas et propose du prêt-à-porter pétillant de marques européennes peu diffusées.
4, rue Tholozé, 75018 Paris.
Tél. : 01 42 54 28 08

• Aeschne

Une mode loin de la *fast fashion*. Robes parfaitement coupées, vestes cintrées, manteaux bien ajustés, dentelle délicate, mousseline de soie… De ses doigts de fée, Sandrine Valter dessine et coupe ses collections dans sa boutique-atelier et les adapte aux corps de ses clientes ravies ! L'adresse préférée d'Audrey Dana et d'Irène Jacob.
19, rue Houdon, 75018 Paris.
Tél. : 01 42 64 40 54

• Séries Limitées

Un joli petit multimarque très féminin qui regroupe les choix bien pensés de créateurs originaux et parfois confidentiels : So Charlotte, Eple & Melk, Charlotte Sometime, Lucas du Tertre, Sessun, Virginia Castaway… Difficile de repartir les mains vides.
20, rue Houdon, 75018 Paris.
Tél. : 01 42 55 40 85

• Chiffon et Basile
Une sympathique sélection casual rock : Laurence Doligé, Swildens, Scotch and Soda. Parfait pour trouver le bon petit pull, les boots ou le pantalon « basic with a twist ». En plus, Monsieur peut aussi y faire son shopping.
86, rue des Martyrs,
75018 Paris.
Tél.: 01 46 06 54 36

• FripesKetchup
Le vintage revu à la mode d'aujourd'hui grâce à l'œil expert de la lumineuse Pauline d'Arfeuille qui sélectionne soigneusement ses pièces et les présente par thèmes à la manière d'une boutique de créateur.
8, rue Dancourt, 75018 Paris.
Tél.: 01 42 51 96 33

• Chinemachine
On s'amuse à trouver des perles dans cette friperie aux accents new-yorkais. À condition de savoir fouiller parmi les blouses eighties, robes fleuries, vestes épaulées et tee-shirts à 5 euros.
100, rue des Martyrs, 75018 Paris.
Tél. : 01 80 50 27 66

• Tombées du Camion
Une boutique rigolote, où l'on trouve de jolis objets désuets, oubliés et décalés, des perles anciennes, des jouets, des broches, des boucles de ceintures, des ustensiles de cuisine... un inventaire à la Prévert !
17, rue Joseph-de-Maistre,
75018 Paris.
Tél. : 01 77 15 05 02

• Thanx God I'm A Vip
Ouverte en 1994 par Sylvie Chateigner, la boutique regorge de pièces sublimes de créateurs (on y côtoie les plus grands !).
12, rue de Lancry, 75010 Paris.
Tél. : 01 42 03 02 09

Pour dîner

• Guilo Guilo
Si vous avez envie de faire une surprise à un gastronome curieux, c'est là qu'il faut l'emmener ! Un grand chef japonais très connu dans son pays, un menu unique de huit plats et une vingtaine de clients au comptoir qui découvrent le défilé de plats tous plus étonnants les uns que les autres... Raffinement extrême et plaisir de tous les sens ! Attention, il faut réserver un mois avant !
8, rue Garreau,
75018 Paris.
Tél. : 01 42 54 23 92

BASTILLE

Pour le shopping

• La Botte Gardiane
Nos bottes western à nous. Une maison réputée pour ses sandales et ses bottes *made in France*. On se les passe de mère en fille et de père en fils. De la qualité et du savoir faire.
25, rue de Charonne,
75011 Paris.
Tél : 09 51 11 05 15

CANAL SAINT-MARTIN

Pour le shopping

• Le Comptoir Général
Ouvert à partir de 18h00 en semaine, cet endroit atypique et plein de charme est un bar, un magasin vintage, une discothèque, un restaurant et mille autres choses encore. Dépaysant, ce lieu désordonné mais enivrant devient vite indispensable à tous ceux qui aiment les endroits insolites.
80, quai de Jemmapes,
75010 Paris.
Tél : 01 44 88 24 46

Photogravure : Articrom

Cet ouvrage a été achevé d'imprimer
en février 2013
sur les presses de l'imprimerie Macrolibros à Valladolid
Dépôt légal : juillet 2012
Imprimé en Espagne